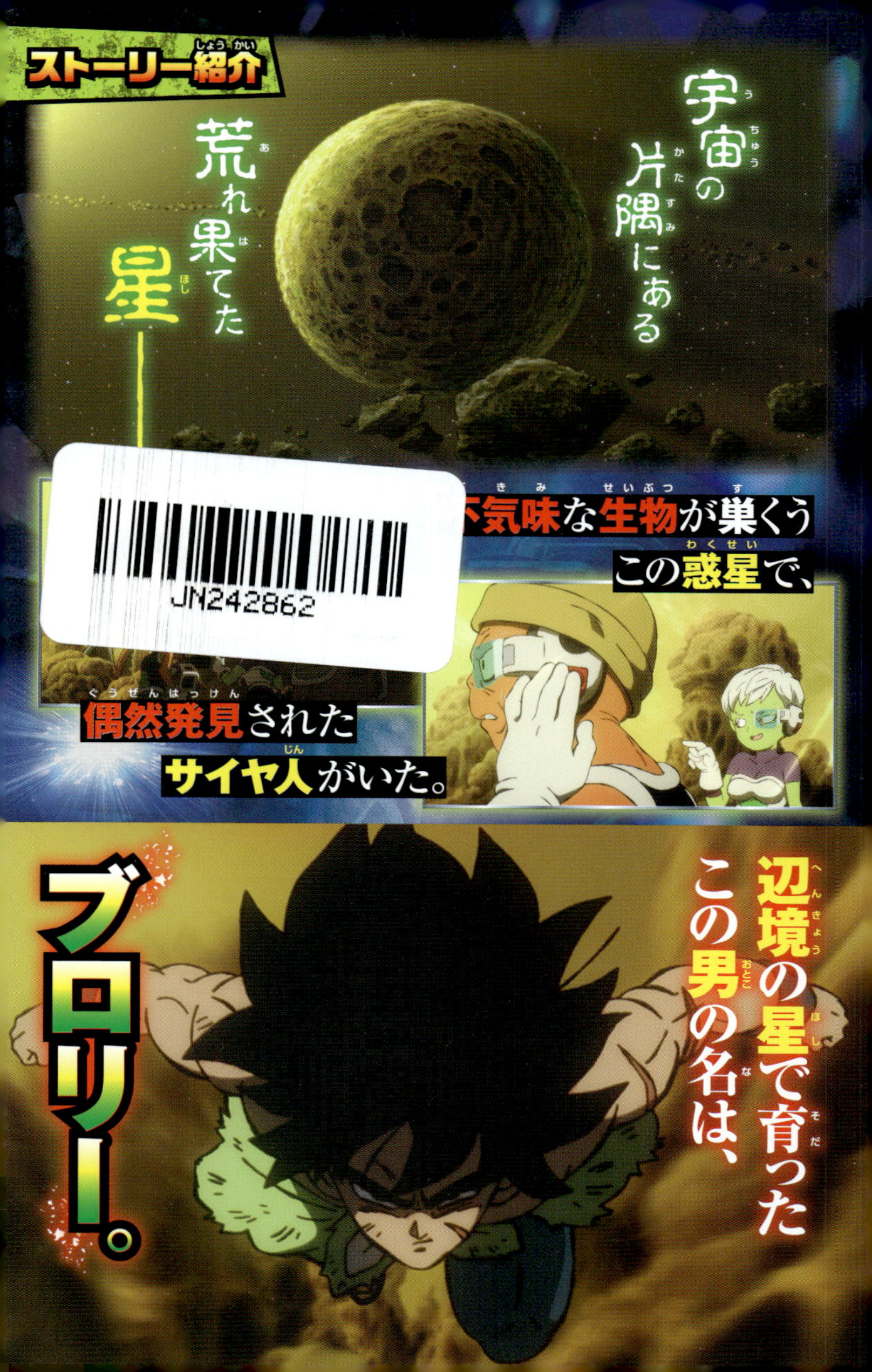
ストーリー紹介《しょうかい》
宇宙《うちゅう》の片隅《かたすみ》にある
荒《あ》れ果《は》てた星《ほし》——
不気味《ぶきみ》な生物《せいぶつ》が巣《す》くう
この惑星《わくせい》で、
偶然発見《ぐうぜんはっけん》された
サイヤ人《じん》がいた。
辺境《へんきょう》の星《ほし》で育《そだ》った
この男《おとこ》の名《な》は、
ブロリー。

その生《お》い立《た》ちには、
サイヤ人《じん》の親子《おやこ》の
知《し》られざる
因縁《いんねん》のドラマ
があった。
過去《かこ》の秘密《ひみつ》を知《し》った
フリーザのたくらみによって、
ブロリーは悟空《ごくう》やベジータのいる
地球《ちきゅう》へ襲来《しゅうらい》する。
ついに、
運命《うんめい》の闘《たたか》いが
始《はじ》まった!!

とめどなくわきあがる、
ブロリーのパワー!
この男《おとこ》、
とんでもなく
強《つよ》い!!!
そして
サイヤ人《じん》たちの激突《げきとつ》は、
かつてない
ド迫力《はくりょく》
超《スーパー》バトルへ!!
続《つづ》きは本編《ほんぺん》へ
GO《ゴー》!

変身《へんしん》ミニ図鑑《ずかん》
悟空《ごくう》たちのパワーアップの
形態《けいたい》にも注目《ちゅうもく》だ！
孫悟空《そんごくう》
超《スーパー》サイヤ人《じん》
超《スーパー》サイヤ人《じん》ゴッド
超《スーパー》サイヤ人《じん》ゴッド
超《スーパー》サイヤ人《じん》（超《スーパー》サイヤ人《じん》ブルー）
フリーザ
ゴールデン
フリーザ
ブロリー
ウァァ

ドラゴンボール超
ブロリー

映画ノベライズ　みらい文庫版

鳥山 明・原作／脚本／キャラクターデザイン
小川 彗・著

集英社みらい文庫

Contents

もくじ

其《そ》之《の》〈一《いち》〉 ふたつの願《ねが》い 7
其《そ》之《の》〈二《に》〉 小惑星《しょうわくせい》バンパ 29
其《そ》之《の》〈三《さん》〉 王《おう》と大佐《たいさ》 52
其《そ》之《の》〈四《よん》〉 バーダックの予感《よかん》 68
其《そ》之《の》〈五《ご》〉 初《はじ》めての友達《ともだち》 84
其《そ》之《の》〈六《ろく》〉 謎《なぞ》のサイヤ人《じん》 あらわる 107
其《そ》之《の》〈七《なな》〉 ブロリーの異変《いへん》 135
其《そ》之《の》〈八《はち》〉 覚醒《かくせい》の条件《じょうけん》 156
其《そ》之《の》〈九《きゅう》〉 時空《じくう》を超《こ》えた闘《たたか》い 181
其《そ》之《の》〈十《じゅう》〉 カカロットの願《ねが》い 208

★DRAGON BALL SUPER★

BROLY

登《とう》場《じょう》人《じん》物《ぶつ》紹《しょう》介《かい》

ブルマ

地球人《ちきゅうじん》。ベジータと結婚《けっこん》し、トランクスとブラの二人《ふたり》の子供《こども》がいる。

ベジータ

誇《ほこ》り高《たか》きサイヤ人《じん》の王子《おうじ》。悟空《ごくう》に強烈《きょうれつ》なライバル心《しん》を持《も》つ。今《いま》は地球《ちきゅう》で暮《く》らし、日々修業《ひびしゅぎょう》にはげんでいる。妻《つま》はブルマ。

孫《そん》悟《ご》空《くう》

地球育《ちきゅうそだ》ちのサイヤ人《じん》。闘《たたか》うことが好《す》きで、相手《あいて》が強《つよ》ければ強《つよ》いほどワクワクする。サイヤ人《じん》としての名前《なまえ》はカカロット。

ピッコロ

地球《ちきゅう》で暮《く》らすナメック星人《せいじん》。いつも冷静沈着《れいせいちんちゃく》。

ウイス

ビルスの付《つ》き人《びと》の天使《てんし》。おいしいものが大好《だいす》き。

ビルス

第《だい》7宇宙《うちゅう》の破壊神《はかいしん》。おいしいものが大好《だいす》き。

キコノ

フリーザにつかえる科学者《かがくしゃ》。スカウターや宇宙船《うちゅうせん》を開発《かいはつ》した。

ベリブル

フリーザの世話役《せわやく》の老婆《ろうば》。フリーザにも遠慮《えんりょ》なく発言《はつげん》する。

パラガス

ブロリーの父《ちち》。ベジータ王《おう》へ強《つよ》い復讐心《ふくしゅうしん》を持《も》つ。

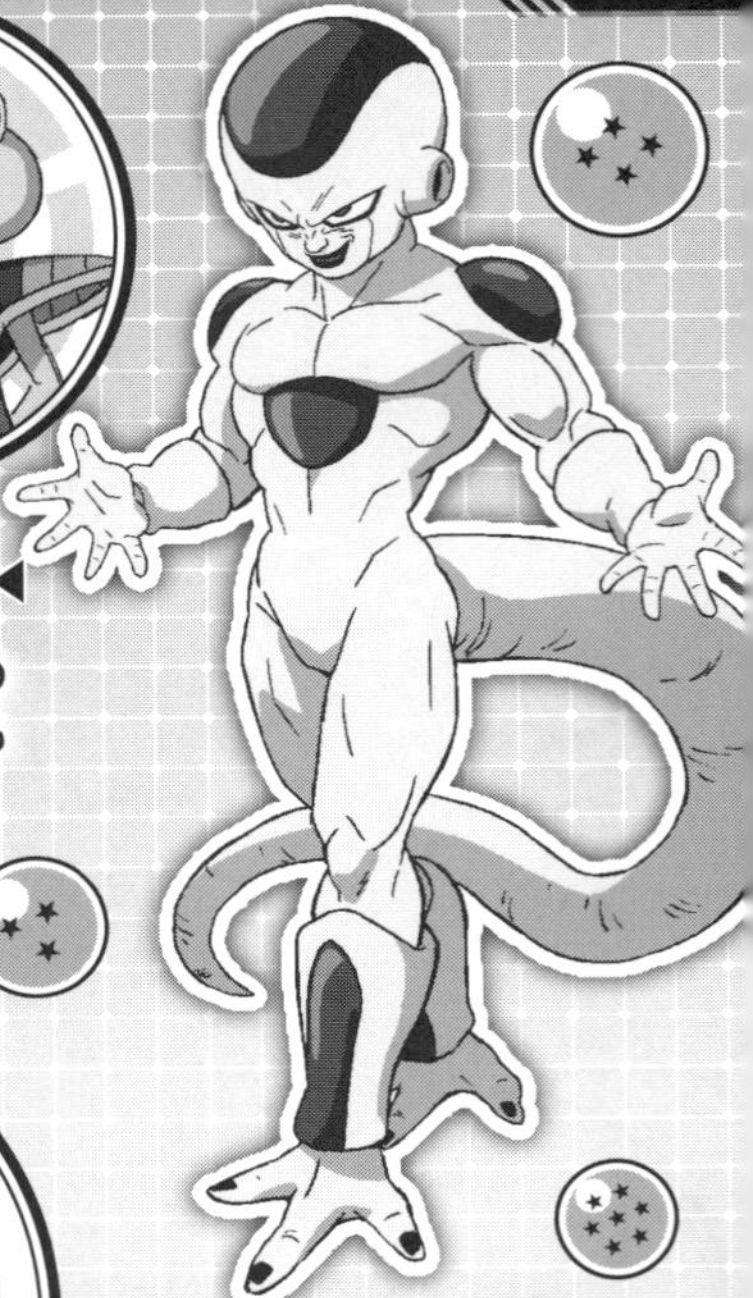

フリーザ

宇宙《うちゅう》でおそれられている悪《あく》の帝王《ていおう》。ナメック星《せい》で悟空《ごくう》に敗《やぶ》れてからは、復《ふく》讐《しゅう》の機会《きかい》をねらっている。

ブロリー（41年《ねん》前《まえ》）

生《う》まれたときから異常《いじょう》な戦闘能《せんとうのう》力《りょく》を持《も》っていた。

パラガス（41年《ねん》前《まえ》）

大佐《たいさ》としてベジータ王《おう》につかえるサイヤ人《じん》の戦士《せんし》。

フリーザ（41年《ねん》前《まえ》）

父《ちち》のコルド大王《だいおう》の地位《ちい》を引《ひ》き継《つ》いだ。

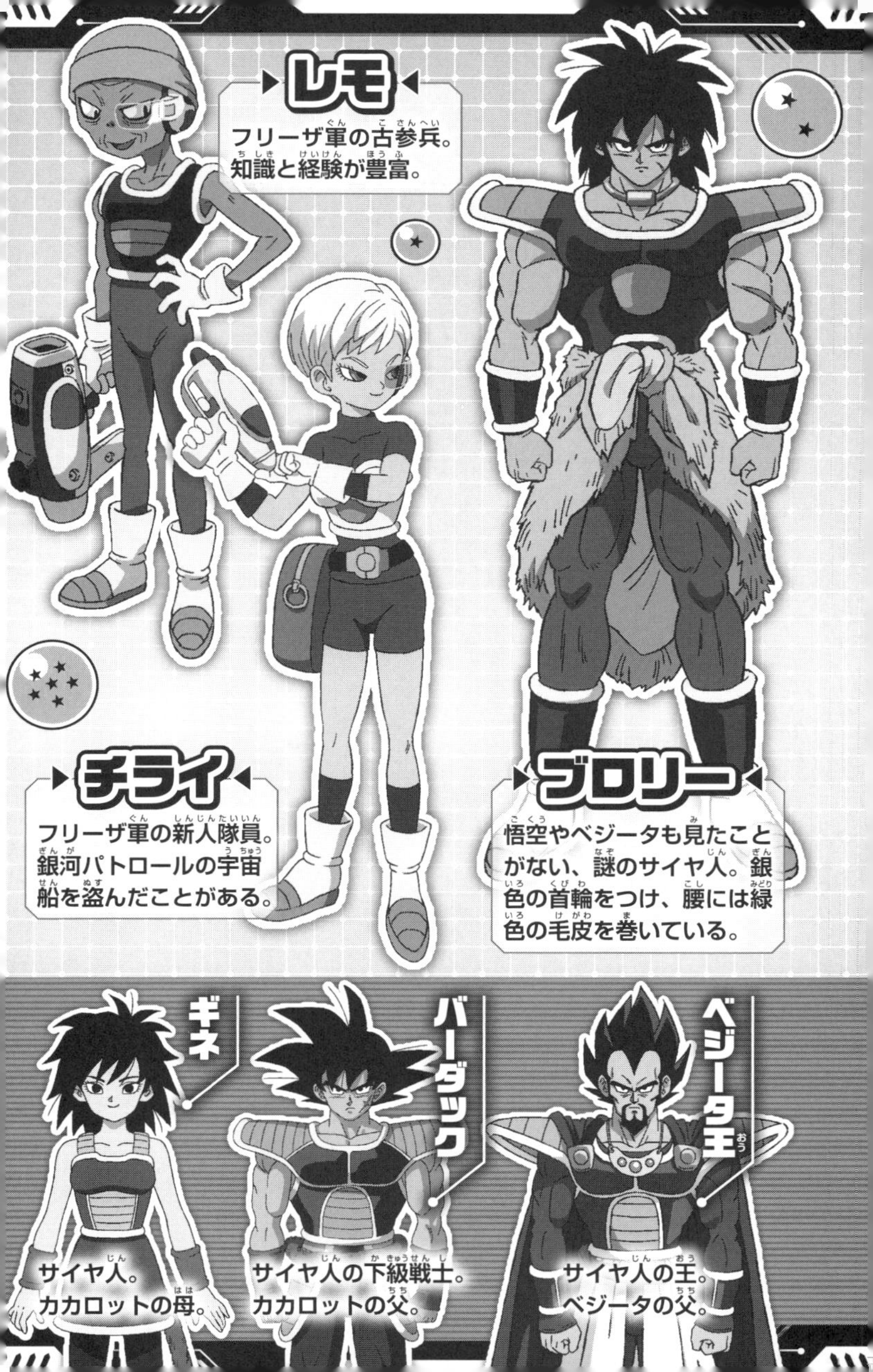

レモ
フリーザ軍《ぐん》の古参兵《こさんへい》。
知識《ちしき》と経験《けいけん》が豊富《ほうふ》。
チライ
フリーザ軍《ぐん》の新人隊員《しんじんたいいん》。
銀河《ぎんが》パトロールの宇宙《うちゅう》船《せん》を盗《ぬす》んだことがある。
ブロリー
悟空《ごくう》やベジータも見《み》たことがない、謎《なぞ》のサイヤ人《じん》。銀《ぎん》色《いろ》の首輪《くびわ》をつけ、腰《こし》には緑《みどり》色《いろ》の毛皮《けがわ》を巻《ま》いている。
ギネ
サイヤ人《じん》。
カカロットの母《はは》。
バーダック
サイヤ人《じん》の下級戦士《かきゅうせんし》。
カカロットの父《ちち》。
ベジータ王《おう》
サイヤ人《じん》の王《おう》。
ベジータの父《ちち》。

戦闘民族《せんとうみんぞく》サイヤ人《じん》——

彼《かれ》らは闘《たたか》いを好《この》み、
ほかの星《ほし》を侵略《しんりゃく》する宇宙《うちゅう》のならず者《もの》だった。

しかし、いつしかサイヤ人《じん》は、
圧倒的《あっとうてき》な力《ちから》を持《も》つコルド大王《だいおう》に支配《しはい》されていた。
そして、コルド大王《だいおう》の息子《むすこ》で
悪《あく》の帝王《ていおう》と呼《よ》ばれるフリーザは、
千年《せんねん》に一度《いちど》あらわれるという
『超《スーパー》サイヤ人《じん》』のウワサを不快《ふかい》に思《おも》い、
サイヤ人《じん》を、彼《かれ》らが住《す》む惑星《わくせい》ベジータごと、
宇宙《うちゅう》から消滅《しょうめつ》させてしまう——。

だが、偶然《ぐうぜん》にも生《い》きのこったサイヤ人《じん》たちがいた。
広大《こうだい》な宇宙《うちゅう》の片隅《かたすみ》で、それぞれに生《い》きのびた彼《かれ》らは、
運命《うんめい》にみちびかれるようにして、地球《ちきゅう》で出会《であ》うこととなる。

これは知《し》られざる、
そして新《あら》たなサイヤ人《じん》の物語《ものがたり》である。

其之《その》一《いち》 ふたつの願《ねが》い

南《みなみ》の海《うみ》に、あたたかい空気《くうき》をふくんだ風《かぜ》が、おだやかにそよぐ。

その海《うみ》の中《なか》にぽっかり浮《う》かんだ緑《みどり》の孤島《ことう》。

海《うみ》ぞいに、豪華《ごうか》なビルがいくつか建《た》っているのが見《み》える。

建物《たてもの》のわきには、空《そら》と海《うみ》がよく見《み》える広々《ひろびろ》としたプール。

プールサイドには、パラソルの下《した》にサマーベッドがならんでいる。

一見《いっけん》すれば、まるでリゾートホテルのようだ。

けれど、にぎわう人々《ひとびと》の姿《すがた》はどこにもない。

かわりのようにサマーベッドに寝転《ねころ》がっているのは、破壊神《はかいしん》ビルス。

その横《よこ》のパラソルの下《した》で優雅《ゆうが》にモーニングティーとケーキを楽《たの》しんでいるのは、ビルスの付《つ》き人《びと》のウイスと、ブルマだ。

「ん〜〜、おいし〜〜〜い♡　食《た》べ物《もの》！　空気《くうき》！　ホント素敵《すてき》すぎる別荘《べっそう》ですねえ、ブルマさん」

ケーキを食《た》べて満足《まんぞく》げに頬《ほお》をおさえながら、ウイスがブルマに話《はな》しかける。

「いいでしょ〜」

カクテルジュースを片手《かたて》に、ふふん、と胸《むね》をはるブルマの横《よこ》では、トランクスの妹《いもうと》のブラが、ベビーベッドの中《なか》ですやすやと眠《ねむ》っていた。

「何年《なんねん》も前《まえ》から造《つく》っていたのよ。西《にし》の都《みやこ》から南《みなみ》に1600キロ。このなんにもない島《しま》なら、少《すこ》しくらい暴《あば》れてもだいじょうぶ！」

空《そら》を見《み》あげてブルマが笑《わら》う。

「あいつら、そのうち西《にし》の都《みやこ》を破壊《はかい》しかねないからね」

ここは、カプセルコーポレーション令嬢《れいじょう》のブルマが、無人島《むじんとう》に造《つく》らせた別荘《べっそう》なのだ。

ドーーンッ！　ドドドッ！

ガッ！　バキッ！　ドゴッ！

ブルマたちのいる場所《ばしょ》からはなれた海《うみ》の上空《じょうくう》では、さっきから絶《た》え間《ま》なくなにかの激《はげ》しくぶつかる音《おと》が聞《き》こえている。かと思《おも》うと、今度《こんど》は海上《かいじょう》に巨大《きょだい》な水柱《みずばしら》が立《た》った。

「があぁぁ～！　うるせ～～～～ぞ!!」

まったく気《き》にしていない二人《ふたり》にかわって、怒《ど》鳴《な》ったのは破壊神《はかいしん》ビルスだった。

「もうちょっと静《しず》かに闘《たたか》え！」

サマーベッドの上《うえ》でくつろいでいたビルスは、長《なが》い耳《みみ》を両手《りょうて》で折《お》り曲《ま》げるようにふさいで、音《おと》の原因《げんいん》にむかって力《ちから》のかぎりに叫《さけ》ぶ。

ドガガガガッ！

一度《ど》大《おお》きく空中《くうちゅう》で衝突音《しょうとつおん》をひびかせて、音《おと》が止《と》まる。

ビルスの怒《ど》鳴《な》り声《ごえ》に気《き》づいてこちらを見《み》ているのは、対戦《たいせん》トレーニング中《ちゅう》の悟空《ごくう》と、その相手《あいて》のベジータだ。

いまにも飛《と》びかかってきそうないきおいで怒鳴《どな》るビルスの姿《すがた》を見《み》た二人《ふたり》は、おとなしく休憩《きゅうけい》することにしたのだった。


「ところで悟空《ごくう》さん。あなたはなぜこれ以上《いじょう》の強《つよ》さを求《もと》めるのですか？　もしかして破壊神《はかいしん》の座《ざ》をねらっているのでは？」

プールサイドにもどり、山盛《やまも》りのお菓子《かし》やケーキを口《くち》いっぱいにほおばる悟空《ごくう》に、ウイスが身《み》を乗《の》りだして聞《き》いた。

大《おお》きな大会《たいかい》があるわけでもないのに、悟空《ごくう》は毎日《まいにち》トレーニングを欠《か》かさないからだ。

その質問《しつもん》に素早《すばや》く反応《はんのう》したのはビルスだった。

「なんだと？　そいつは聞《き》き捨《ず》てならんな」

「ちがうよ〜。なりたかねえって、そんなの」

あわててケーキを飲《の》みこんだ悟空《ごくう》は、両手《りょうて》を顔《かお》の前《まえ》で振《ふ》った。

「そんなので悪《わる》かったな」

悟空《ごくう》の正直《しょうじき》な答《こた》えに、ビルスの目《め》がムッと細《ほそ》められる。

そんなビルスを尻目《しりめ》に、悟空《ごくう》はいかにもうれしそうにニカッと笑《わら》った。

「この前《まえ》の全宇宙《ぜんうちゅう》の大会《たいかい》でさ、ほかの宇宙《うちゅう》にはまだとんでもねえヤツがいるってわかったから、オラ燃《も》えてん――**だっ！**」

一気《いっき》に気《き》を解放《かいほう》した悟空《ごくう》の髪《かみ》が金色《きんいろ》にそまり、超《スーパー》サイヤ人《じん》になったのがわかる。

少《すこ》し前《まえ》に、悟空《ごくう》たちのいる第《だい》7宇宙《うちゅう》の存亡《そんぼう》をかけた闘《たたか》いがあった。かろうじて闘《たたか》いには勝《か》ったが、その大会《たいかい》で、悟空《ごくう》は何人《なんにん》もの強《つよ》い敵《てき》と出会《であ》ったのだ。

かなわない相手《あいて》が宇宙《うちゅう》にはいる――その事実《じじつ》に、悟空《ごくう》は本当《ほんとう》にワクワクしている。

いつの日《ひ》か、彼《かれ》らとまた闘《たたか》ってみたい。

地球《ちきゅう》や宇宙《うちゅう》をかけるのではなく、ただ純粋《じゅんすい》に闘《たたか》いを楽《たの》しみたいのが悟空《ごくう》という人間《にんげん》だ。戦闘《せんとう》を好《この》むのはサイヤ人《じん》の本能《ほんのう》でもある。

それを聞《き》いていたベジータは、ハッ、と鼻《はな》を鳴《な》らした。

「キサマの目《め》はすでにほかの宇宙《うちゅう》にむいているということか……あいかわらずおめでたいヤローだ」

悟空《ごくう》は超《スーパー》サイヤ人《じん》から元《もと》の姿《すがた》へともどる。

「あら。ではベジータさんはなぜ、これ以上《いじょう》の強《つよ》さを求《もと》めるのですか？」

ウイスに矛先《ほこさき》をむけられたベジータは、いらだたしげに悟空《ごくう》を押《お》しのけて言《い》った。

「フリーザだ！」

そして悟空《ごくう》の鼻先《はなさき》へ、思《おも》いきり人差《ひとさ》し指《ゆび》をつきつける。

「ここにいるバカヤローが、よりによってあんな悪魔《あくま》を復活《ふっかつ》させやがったからな!!」

「なんだよ。フリーザがいなかったらオラたちの第7宇宙《だいうちゅう》はなくなっちまったかもしれねえだろ」

悟空《ごくう》はムッとした顔《かお》でその指《ゆび》をはらう。

そんな事実《じじつ》を初《はじ》めて聞《き》いたブルマは、驚《おどろ》いて目《め》を丸《まる》くした。

「あら、そうなの？」

「ああ。あいつに助《たす》けられた」

「くっ、バカめ！　あれは自分《じぶん》のことを考《かんが》えてやっただけだ！」

フリーザに悟空《ごくう》たちへの仲間意識《なかまいしき》がないことは、だれの目《め》にもあきらかだ。

いまいましげに舌打《したう》ちをして、ベジータは右手《みぎて》をにぎりしめる。

「この前《まえ》地球《ちきゅう》にやってきたフリーザを見《み》ただろ。ヤツは短期間《たんきかん》であそこまでしあげてきた」

いまだって、金色《きんいろ》にかがやくゴールデンフリーザのおそろしいまでの強《つよ》さは、簡単《かんたん》に脳裏《のうり》によ

みがえってくる。

「さらに力《ちから》をつけて、またオラたちを倒《たお》しにくるっていうのか？」

「まちがいなくな」

ベジータは奥歯《おくば》をぎりりとかみしめる。だが、悟空《ごくう》はのんきに頭《あたま》のうしろで両手《りょうて》を組《く》んだ。

「そうかなあ〜？　生《い》きかえらせてやったのに？」

「バカめ！　そんなことで、あいつが恩《おん》を感《かん》じるとでも思《おも》っているのか!!」

腹《はら》が立《た》ってきたベジータは悟空《ごくう》につめよった。

「おめえ、何回《なんかい》バカって言《い》うんだ〜」

ふたたびつきつけられた指《ゆび》を悟空《ごくう》はあわててガードする。そして様子《ようす》をうかがうように、両手《りょうて》のわきから顔《かお》を出《だ》した。

その態度《たいど》が、さらにベジータの怒《いか》りに火《ひ》をつける。

「何度《なんど》でも言《い》ってやる、バァァァァカァァァァァァッ!!」

まだ幼《おさな》いトランクスが聞《き》いたら、喜《よろこ》んでまねをしそうな言《い》い方《かた》だ。

ブルマが、二人《ふたり》の言《い》いあいのあいだに入《はい》ろうとした、ちょうどそのとき。


ピピピピピ!


ブルマの腕時計型《うでどけいがた》の通信機《つうしんき》が鳴《な》りだした。

「あら、トランクスだ」

着信画面《ちゃくしんがめん》に表示《ひょうじ》された息子《むすこ》の名前《なまえ》を見《み》て、通話《つうわ》ボタンをタップする。

『あ、ママ!』

時計《とけい》の画面《がめん》に映《うつ》ったトランクスがうれしそうに笑《わら》う。

が、うしろの研究室《けんきゅうしつ》は、なぜだかやけに荒《あ》れて見《み》えた。

「なに?」

『ママ、研究室《けんきゅうしつ》に泥棒《どろぼう》が入《はい》ったみたいだよ』

「えっ?　なにを盗《と》られたの?」

原因《げんいん》はまさかの泥棒《どろぼう》だった。けれど、カプセルコーポレーション本部《ほんぶ》の施設内《しせつない》にある研究室《けんきゅうしつ》に、盗《ぬす》まれていますぐ困《こま》るようなものはあっただろうか。

そんなことを考《かんが》えながら聞《き》いたブルマに、トランクスが答《こた》える。

『監視《かんし》カメラを見《み》てみるね。えっと……』

トランクスは、通話《つうわ》をしながら、慣《な》れた手《て》つきで録画《ろくが》された犯行《はんこう》の様子《ようす》を確認《かくにん》しはじめた。画《が》像横《ぞうよこ》にあるシークバーをもどして、被害前後《ひがいぜんご》の画面《がめん》を見《み》くらべる。

『──ママが集《あつ》めてたドラゴンボールとドラゴンレーダーだね』

「なんですってぇ────っ!!」

たいていのものならまた作《つく》ればいいし、もっとすごい発明《はつめい》をすればいいと思《おも》っていたブルマだが、盗《ぬす》まれたものがドラゴンボールなら話《はなし》は別《べつ》だ。

すっとんきょうな声《こえ》をあげたブルマのすぐ横《よこ》で、いっしょに通話画面《つうわがめん》をのぞきこんでいたベジータが、そら見《み》ろとでも言《い》いたげな表情《ひょうじょう》をした。

「だから言《い》っただろ。おまえはセキュリティがあまいんだ」

前《まえ》にも似《に》たようなことがあったブルマは、痛《いた》いところをつかれてくちびるをとがらせる。

そんな両親《りょうしん》を画面《がめん》ごしに見《み》ながら、トランクスは首《くび》をひねった。

『あのね、ママ』

「ん？」

ブルマとベジータ、それに悟空《ごくう》も画面《がめん》をのぞきこむ。

『映《うつ》ってた犯人《はんにん》なんだけど、パパみたいな服《ふく》を着《き》てるよね』

「「あっ!?」」

転送《てんそう》された画像《がぞう》に映《うつ》しだされているのは、たしかにそっくりな戦闘服《せんとうふく》だった。

ベジータと顔《かお》を見《み》あわせうなずきあったブルマは、悟空《ごくう》にも視線《しせん》をやる。が、悟空《ごくう》はいまいちピンときていないようだ。ブルマはため息《いき》をつき、トランクスにむきなおる。

「サンキュー、トランクス！」

『へへ』

心配《しんぱい》をかけないように、明《あか》るい調子《ちょうし》でそう言《い》ってブルマは通信《つうしん》を切《き》った。

ベジータの眉間《みけん》にしわがよる。

「……犯人《はんにん》はフリーザ軍《ぐん》だな。オレたちに気《き》づかれないように、わざと戦闘力《せんとうりょく》の低《ひく》い連中《れんちゅう》を使《つか》ったんだ」

それしか答《こた》えはないだろう。

「フリーザのヤツ、しつこくドラゴンボールをねらってたんだ……」

最初《さいしょ》の闘《たたか》いも、フリーザがナメック星《せい》のドラゴンボールをねらったところから始《はじ》まっている。

くやしそうなブルマとは反対《はんたい》に、悟空《ごくう》はのんきに首《くび》をひねった。

「あいつ、いまさらどんな願《ねが》いがあるんだろ……神龍《シェンロン》の力《ちから》を超《こ》える願《ねが》いはできねえから、宇宙一《うちゅういち》強《つよ》くしてくれ、ってのは無理《むり》だし……」

ドラゴンボールを七つ集《あつ》めれば神龍《シェンロン》に願《ねが》いをかなえてもらえる。

だが、フリーザの願《ねが》いとは——？

ウンウン考《かんが》えている悟空《ごくう》へ、ベジータがあきれたように言《い》いはなつ。

「きまってるだろ。あいつの願《ねが》いは死《し》なないことだ」

「でもさぁ～、死《し》ななくても負《ま》けたら意味《いみ》ねえだろ？」

「それでもあいつは、いつかオレたちを超《こ》える可能性《かのうせい》がある！」

最初《さいしょ》はまるで歯《は》が立《た》たなかった相手《あいて》だ。

ベジータは、かつては抵抗《ていこう》をあきらめていたことすらある。

いまでこそ、超《スーパー》サイヤ人《じん》、超《スーパー》サイヤ人《じん》ゴッド、超《スーパー》サイヤ人《じん》ゴッド超《スーパー》サイヤ人《じん》の力《ちから》を修業《しゅぎょう》で身《み》につけ、フリーザを上《うわ》まわっている悟空《ごくう》とベジータだが、いつまでも同《おな》じとはかぎらないのだ。

フリーザが死《し》なない体《からだ》を手《て》に入《い》れてしまえば、可能性《かのうせい》は無限《むげん》にひろがってしまうではないか。

ブルマが二人《ふたり》を交互《こうご》に見《み》る。

「あたしが持《も》っていたドラゴンボールは六個《ろっこ》よ。最後《さいご》の一個《いっこ》を求《もと》めてその場所《ばしょ》に行《い》くはずだわ」

「どこだ」

「氷《こおり》の大陸《たいりく》よ。寒《さむ》いの苦手《にがて》だからあとまわしにしてたの」

「氷《こおり》の大陸《たいりく》？」

場所《ばしょ》まで特定《とくてい》していたのに、そんな理由《りゆう》であとまわしにしていたとは、さすがブルマだ。

驚《おどろ》く悟空《ごくう》を無視《むし》して、ブルマはビルスとウイスにも声《こえ》をかけた。

「あなたたちも行《い》く？」

「ふん。ボクは昼寝《ひるね》をする」

ビルスはつまらなそうにそっぽをむく。

けれどウイスは乗《の》り気《き》なようだ。

「あら、おもしろそうじゃありませんか」

「……うまいものあるか？」

ウイスにつられるように、ビルスがちらりとブルマを見《み》る。

「それは期待《きたい》できないわね」

「じゃあやめとく」

「よかった〜！」

言《い》うが早《はや》いか、ブルマは抱《だ》いていたブラを、サマーベッドの上《うえ》でふたたび目《め》を閉《と》じかけたビルスの胸《むね》に押《お》しつけた。

「じゃあこの子《こ》のめんどう見《み》てて！」

「え？」

あまりに強引《ごういん》な行動《こうどう》に、さすがのビルスも言葉《ことば》が続《つづ》かない。

ブルマに一瞬《いっしゅん》なにかを言《い》いたげにしたベジータも、結局《けっきょく》は、走《はし》りだした悟空《ごくう》とブルマのあとを追《お》いかける。

「よっろしくね〜！」

あっというまに、そなえつけのヘリポートからジェットを吹《ふ》かした小型飛行機《こがたひこうき》が離陸《りりく》する。

「ちょっ、まっ、——**おい、こら〜〜〜〜〜!!**」

小《ちい》さな赤《あか》ん坊《ぼう》のブラをかかえたビルスは、あっけに取《と》られたまま、飛《と》びたってしまった彼《かれ》らのうしろ姿《すがた》を見送《みおく》ったのだった。

「氷《こおり》の大陸《たいりく》は寒《さむ》いわよー！　途中《とちゅう》で防寒着《ぼうかんぎ》を買《か》わなきゃ」

ブルマはどこか楽《たの》しそうだ。

防寒着《ぼうかんぎ》を買《か》えそうな町《まち》を探《さが》すつもりらしい。

悟空《ごくう》はうしろの貨物置《かもつお》き場《ば》にどっかと座《すわ》りこみながら、いまさらながらの質問《しつもん》を口《くち》にした。

「なんでブルマはドラゴンボールを集《あつ》めてたんだ？」

富《とみ》や名声《めいせい》なら、彼女《かのじょ》はすでに持《も》っている。

悟空《ごくう》の質問《しつもん》に、ブルマはピタリと動《うご》きを止《と》めた。なんだか少《すこ》し不機嫌《ふきげん》だ。

「……うるさいわねえ……」

「教《おし》えろよぅ」

答《こた》えてくれないとよけいに聞《き》きたくなる。

なおもせっつくと、ブルマはいかにも言《い》いにくそうに、小《ちい》さな声《こえ》でぼそりと言《い》った。

「……若《わか》がえろうとしたのよ……5歳《さい》ぐらいね」

「そんなくだらねえことでドラゴンボールを!?」

「やかましい！　あんたたちサイヤ人《じん》にはわからないわよ！」

身《み》を乗《の》りだして怒鳴《どな》るブルマは真剣《しんけん》だ。

悟空《ごくう》にはよくわからない。

だが、サイヤ人《じん》、とひとくくりに文句《もんく》を言《い》われたベジータは、理由《りゆう》に思《おも》いあたるところでもあるようで、ふいっとブルマから顔《かお》をそらした。

二人《ふたり》のやり取《と》りをだまって聞《き》いていたウイスが、はてと首《くび》をかしげる。

「なんで5歳《さい》なんですか？　どうせならもっと……」

「……一気《いっき》に若《わか》がえったら不自然《ふしぜん》でしょ！　きっと言《い》われるわ。あら～？　ブルマさん急《きゅう》にお若《わか》くなったんじゃない？　もしかして整形《せいけい》かしら～、とかね」

だれかに言《い》われたことがあるのでは、と思《おも》ってしまうほどなんだかみょうに現実味《げんじつみ》がある。

ということは、もしかして――

「さてはおめえ、ちょくちょくドラゴンボール使《つか》ってんな？」

「……」

悟空《ごくう》のするどい推理《すいり》に、ブルマは、飛行機《ひこうき》のスロットルを全開《ぜんかい》にした。

「うわっ！　……はははははっ！」

とつぜんの加速《かそく》によろけながら笑《わら》う悟空《ごくう》の横《よこ》で、ベジータは、「ふんっ」と鼻《はな》を鳴《な》らしたのだった。


悟空《ごくう》たちが、盗《ぬす》まれたドラゴンボールを探《さが》して氷《こおり》の大陸《たいりく》にむかっているころ。

フリーザの乗《の》った大型宇宙船《おおがたうちゅうせん》は、広大《こうだい》な宇宙空間《うちゅうくうかん》で静止《せいし》していた。

ドラゴンボール探索《たんさく》のため、地球《ちきゅう》にむかわせている部下《ぶか》からの連絡《れんらく》を待《ま》っているのだ。

大《おお》きな窓《まど》からは銀河系《ぎんがけい》の星々《ほしぼし》がまたたいているのが見《み》える。

指令室《しれいしつ》の中央《ちゅうおう》で、フリーザは大《おお》きなイスに座《すわ》ってその星々《ほしぼし》をながめていた。

となりには、移動《いどう》のときに使《つか》う小型《こがた》ポッドが浮《う》かんでいる。

フリーザの座《すわ》るイスとポッドのわきには、コロンと太《ふと》った小《ちい》さな人影《ひとかげ》がひとつ。

青《あお》い体《からだ》に薄紫《うすむらさき》のボブカットの髪《かみ》、フリーザの世話係《せわがかり》のベリブルだ。

いつでもフリーザの命令《めいれい》で動《うご》けるように、宙《ちゅう》に少《すこ》し浮《う》いている。

「フリーザ様《さま》」

部屋《へや》の自動《じどう》ドアから入《はい》ってきたのは、黄色《きいろ》い体《からだ》で頭《あたま》に触角《しょっかく》の生《は》えた参謀長《さんぼうちょう》、キコノだった。

「幸運《こううん》なことに、ベジータの妻《つま》がレーダーとともにすでに六個《ろっこ》ものドラゴンボールを所有《しょゆう》していたようで、それを入手《にゅうしゅ》し、最後《さいご》の一個《いっこ》を求《もと》めて現在《げんざい》むかっているようです」

「ほう！　それはすばらしい報告《ほうこく》ですね」

うれしそうに目《め》を見開《みひら》いたフリーザが、イスから身《み》を乗《の》りだす。

「では地球《ちきゅう》にむけて船《ふね》を発進《はっしん》させましょうか」

キコノの提案《ていあん》に、フリーザは余裕《よゆう》のほほえみを浮《う》かべて、ふたたびイスへ深《ふか》く腰《こし》をしずめた。

「いえ、七個《こ》すべて見《み》つかってからでいいでしょう。あせって早《はや》く到着《とうちゃく》するのは危険《きけん》ですよ。ヤツらはスカウターがなくても、高《たか》い戦闘力《せんとうりょく》の接近《せっきん》がわかるようですから……」

地球《ちきゅう》にいるであろうサイヤ人《じん》たちは油断《ゆだん》ならない。

「わかりました」

身《み》をもって学習《がくしゅう》しているフリーザの判断《はんだん》に、キコノはスッと一礼《いちれい》してしたがった。

「願《ねが》いのかなえ方《かた》はメモしてありますね？」

「はい、抜《ぬ》かりなく。……ところで……」

「なんですか？　キコノ」

言《い》いよどんだ部下《ぶか》をうながしてやれば、キコノがおずおずと口《くち》を開《ひら》く。

「い、いえ。その……ドラゴンボールが集《あつ》まったとして……フリーザ様《さま》は、どのような願《ねが》いをかなえられるおつもりなのかと……やはり以前《いぜん》から言《い》っておられた不《ふ》死《じ》身《み》の肉《にく》体《たい》ですか？」

「ほ〜っほっほ。ちがいますよ」

「え？」

楽《たの》しそうに笑《わら》われて、キコノは驚《おどろ》いた。

願《ねが》いを変更《へんこう》することになった理由《りゆう》を思《おも》い出《だ》し、フリーザの頬《ほお》がピクリと引《ひ》きつる。

フリーザがこれまで不《ふ》死《じ》身《み》の肉《にく》体《たい》を願《ねが》っていたのは、不《ふ》死《じ》身《み》になれば、なんでもできると思《おも》っていたからだ。

「……地球《ちきゅう》の地獄《じごく》というところで動《うご》けなくされてわかりました……死《し》ななくても動《うご》けないんじゃ苦痛《くつう》なだけだと」

一面《いちめん》に咲《さ》き誇《ほこ》る、黄色《きいろ》い花《はな》のじゅうたん。ピンクの花《はな》が満開《まんかい》の木《き》につるされたフリーザのまわりを、愛《あい》らしい妖精《ようせい》たちが陽気《ようき》に歌《うた》いおどり続《つづ》ける——あの苦痛《くつう》。

あんなものを見《み》せつけられるくらいなら、死《し》んだほうがどれだけマシと思《おも》ったことか。

「……では、たとえば、ダメージを受《う》けない、とか……？」

「それじゃあゲームがおもしろくありません」

「……う〜〜ん……なんでしょう……？」

「ほほほ、あたりませんよ」

いままでの自分《じぶん》の願《ねが》いからは、おそらく見当《けんとう》もつかないだろう願《ねが》いごとだ。

あごに手《て》をあて、真剣《しんけん》になやみだしたキコノをフリーザが楽《たの》しそうに見《み》ていると、

「身長《しんちょう》を、伸《の》ばしたいのでございましょ？」

「「え!?」」

それまで、ななめうしろで静《しず》かにひかえていたベリブルが、とつぜんそんなことを言《い》いだした。

キコノの黄色《きいろ》い顔《かお》が、あわてて青《あお》ざめて見《み》える。

「べ、ベリブルさん！　なんてことを……！」

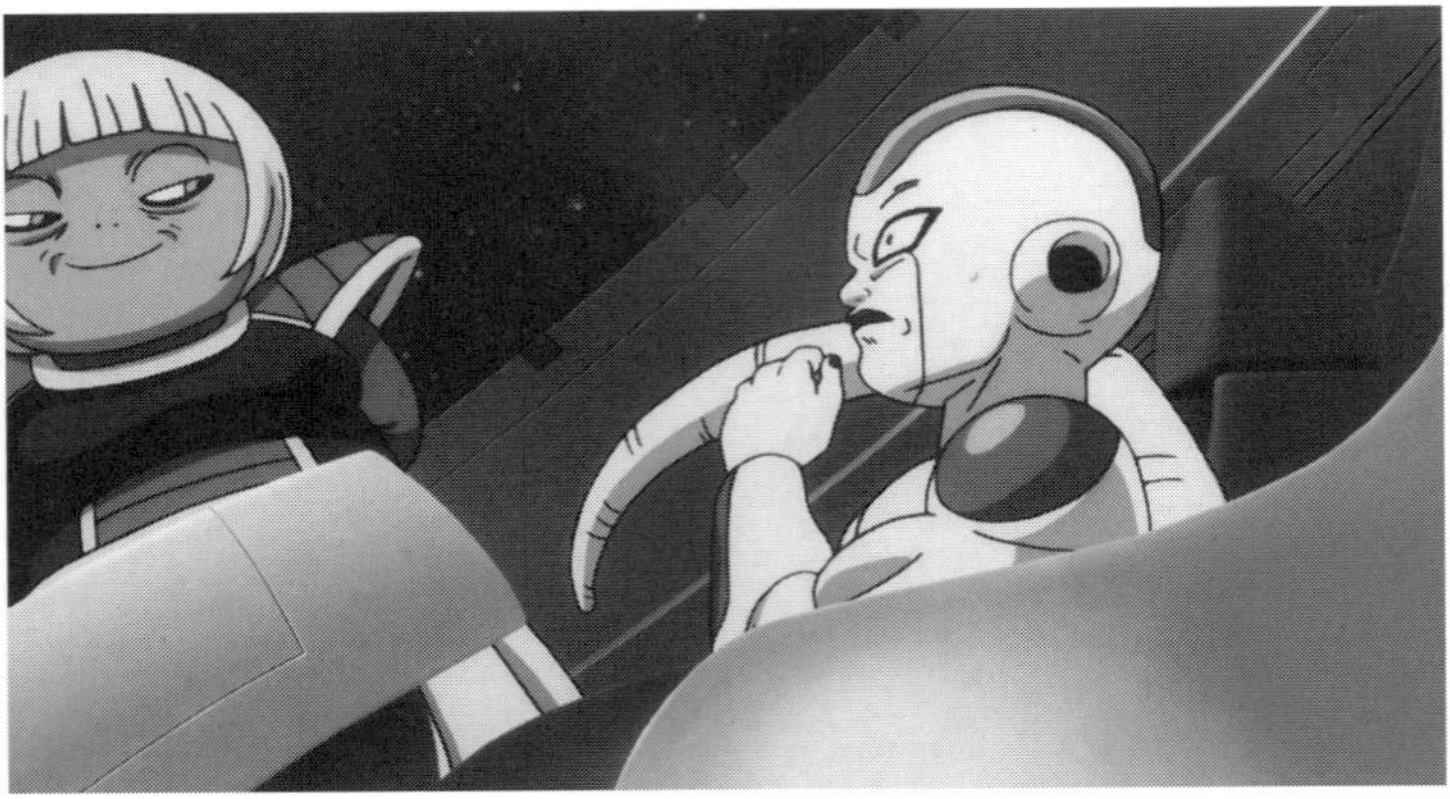

「かげでフリーザ様《さま》をチビと言《い》っていた兵士《へいし》を何人《なんにん》も消《け》されていますからねえ」

したり顔《がお》で続《つづ》けるベリブルを、フリーザは口《くち》を真一文字《まいちもんじ》に結《むす》んだままで見《み》つめ、それから、フッと息《いき》をついた。

「……さすがですねベリブルさん。正解《せいかい》です」

「え！　正解《せいかい》なんですか？」

驚《おどろ》いたのはキコノだ。

不死身《ふじみ》の肉体《にくたい》を願《ねが》っていたフリーザが、まさか身長《しんちょう》を願《ねが》うだなんて思《おも》わなかった。

「だれにも言《い》わないと約束《やくそく》できますか？」

「も、もちろんです！」

背筋《せすじ》を伸《の》ばしたキコノを手《て》まねきし、フリーザはナイショ話《ばなし》をするかのように声《こえ》をひそめる。

「身長《しんちょう》を、５センチ、伸《の》ばしたいんです」

「え？」

一瞬《いっしゅん》、聞《き》きまちがえたのかと思《おも》ったが、フリーザの顔《かお》は真剣《しんけん》だ。

「……で、でしたら第二形態《だいけいたい》あたりの変身《へんしん》のままであれば、じゅうぶんな身長《しんちょう》が……」

「いいえ！　わたしは、普段《ふだん》や最終形態《さいしゅうけいたい》で大《おお》きくなりたいんです！」

「………では、……なぜ、わずか5センチ……」

これは不敬《ふけい》にあたるだろうか。

ドキドキしながらも、思《おも》わず聞《き》いてしまったキコノに、フリーザは「おバカさん」とでも言《い》うかのように、ムッと口《くち》をとがらせる。

「一気《いっき》に大《おお》きくなったんじゃ不自然《ふしぜん》でしょ！　まだ成長《せいちょう》している感《かん》じにしたいんです」

「……な、なるほど……」

理《り》にかなっているような、そうでもないような……。

けれど、そのために本気《ほんき》でドラゴンボールを集《あつ》めているフリーザに、それ以上《いじょう》つっこんではいけない。長年《ながねん》の経験《けいけん》から察《さっ》したキコノは、おとなしくうなずいたのだった。

其《そ》之《の》二《に》 小惑星《しょうわくせい》バンパ

フリーザを乗《の》せた大型宇宙船《おおがたうちゅうせん》が静止《せいし》している宇宙空間《うちゅうくうかん》から、何光年《なんこうねん》も遠《とお》くはなれた宇宙《うちゅう》——

そこに、一隻《いっせき》の小型宇宙船《こがたうちゅうせん》が飛行《ひこう》していた。

乗《の》っているのは、フリーザ軍《ぐん》の非戦闘員《ひせんとういん》のレモとチライ。

新《あたら》しく戦力《せんりょく》になりそうな人員《じんいん》をスカウトすべく、いろいろな惑星《わくせい》を探索《たんさく》するのが任務《にんむ》なのだが、そう簡単《かんたん》には見《み》つからない。

「こんなところ、だれもいねえって……」

窓《まど》から外《そと》をながめつつ、まるで男《おとこ》の子《こ》のような口調《くちょう》で愚痴《ぐち》をこぼしたのはチライ。

きれいな緑《みどり》の体《からだ》にベリーショートの白《しろ》い髪《かみ》は、一見少年《いっけんしょうねん》のようだが、れっきとした女《おんな》の子《こ》だ。

「ましてや最低《さいてい》でも戦闘力《せんとうりょく》1000のヤツなんて、なかなかいないぞ」

「しょうがないだろ。軍《ぐん》の再生《さいせい》のために、ひとりでも多《おお》くの戦闘員《せんとういん》を探《さが》してこいって命令《めいれい》だ」

操縦席《そうじゅうせき》からチライをなだめるように言《い》ったのは、相棒《あいぼう》のレモだ。

黄色《きいろ》いニット帽《ぼう》の似《に》あうオレンジ色《いろ》の体《からだ》のレモは、フリーザ軍《ぐん》にはもう何十年《なんじゅうねん》も属《ぞく》しているベテラン非戦闘員《ひせんとういん》のひとりだ。

「でも、戦闘員《せんとういん》、いっぱいいたんだろ？　どうしたんだ？」

フリーザ軍《ぐん》と言《い》えば、とんでもなく強《つよ》いことで有名《ゆうめい》だ。

その戦闘員《せんとういん》が足《た》りなくなるような闘《たたか》いがあったなんて、チライは聞《き》いたことがない。

レモはそっけなく「さあな」と言《い》ってから、思《おも》い出《だ》したようにつけ足《た》した。

「まあでもウワサじゃ、ふがいない闘《たたか》いをしたからフリーザ様《さま》に全員殺《ぜんいんころ》されたらしいぞ」

それが本当《ほんとう》なら、自分《じぶん》で殺《ころ》しておいてまた集《あつ》めろだなんて、ムチャクチャな話《はなし》だ。

「……ちっ」

舌打《したう》ちをしたチライに、レモが聞《き》く。

「チライ。おまえはなんでフリーザ軍《ぐん》に？」

「……銀河《ぎんが》パトロールの宇宙船《うちゅうせん》を盗《ぬす》んだのがバレて追《お》われちゃってさ」

それがどうして理由《りゆう》になるのかと首《くび》をひねるレモに、チライはニヤッと笑《わら》ってみせる。

「フリーザ軍《ぐん》ならヤツらも手《て》を出《だ》さないだろ？」

「……クズだな」

「まあね〜」

得意気《とくいげ》に笑《わら》いながら、チライはレモのうしろの席《せき》に移《い》動《どう》した。

暗《くら》い宇宙《うちゅう》を見《み》ているのにもあきたのだ。

前《まえ》をむいたまま操縦《そうじゅう》を続《つづ》けるレモに話《はな》しかける。

「レモさんはずっとフリーザ軍《ぐん》だったんだろ？　会《あ》ったことあるのか？　フリーザ様《さま》に」

巨大《きょだい》なフリーザ軍《ぐん》のトップであるフリーザは、基本的《きほんてき》に母船《ぼせん》にいる。選《え》りすぐられた戦闘員《せんとういん》たちをしたがえて、自身《じしん》も前線《ぜんせん》に立《た》っているらしい——ということは知《し》っているが、末端《まったん》のチライは見《み》たことがなかった。

「俺《おれ》は戦闘員《せんとういん》じゃない。ステーションで見《み》かけたことがあるだけだ」

長年《ながねん》働《はたら》いているレモでもそうなのか、と思《おも》いながらチライはうしろの席《せき》から身《み》を乗《の》りだす。

「ちっちゃいらしいね」

「おい！　二度《にど》とそのことを口《くち》にするんじゃないぞ。生《い》きていたいんならな」

「わ、わかったよ」

「息《いき》がクサイってだけで殺《ころ》されたヤツもいたんだぞ」

極悪非道《ごくあくひどう》のフリーザ様《さま》には、そういうウワサはごまんとある。

だが、たぶん一生《いっしょう》会《あ》うことなどないだろう。

チライは「ふんっ」と鼻《はな》を鳴《な》らして悪態《あくたい》をつく。

「しかし、じいさんと女《おんな》を使《つか》うようじゃ、フリーザ軍《ぐん》もそろそろヤバいかもね」

たしなめるようにレモがうしろをふりむきかけた、ちょうどそのとき。


ビー！　ビー！　ビー！


船内《せんない》のセンサーがいっせいにけたたましい音《おと》を立《た》てて、点滅《てんめつ》を始《はじ》めた。

「え？　なんだ？」

「救難信号《きゅうなんしんごう》だ！　しかも、ずいぶん古《ふる》いタイプのフリーザ軍《ぐん》の信号《しんごう》だぞ」

レモは救難信号《きゅうなんしんごう》の示《しめ》すほうへと針路《しんろ》を変《か》えた。

それからほどなく。

宇宙《うちゅう》デブリのむこうにでこぼこの黄色《きいろ》い星《ほし》があらわれた。

レモは、ニヤリと笑《わら》いながらチライを振《ふ》りかえる。

「助《たす》ければ特別《とくべつ》ボーナスがもらえるかもしれんぞ」

「おお〜！」

特別《とくべつ》ボーナス、ぜひともほしい。

「よし、さっそく行《い》こう！」

センサーの点滅《てんめつ》を追《お》って、レモは宇宙船《うちゅうせん》の着陸準備《ちゃくりくじゅんび》を始《はじ》めたのだった。


救難信号《きゅうなんしんごう》が発信《はっしん》されている場所《ばしょ》を探《さが》して降下《こうか》したレモとチライは、古《ふる》びた小型《こがた》の宇宙船《うちゅうせん》を見《み》つけて、近《ちか》くの岩場《いわば》に着陸《ちゃくりく》した。

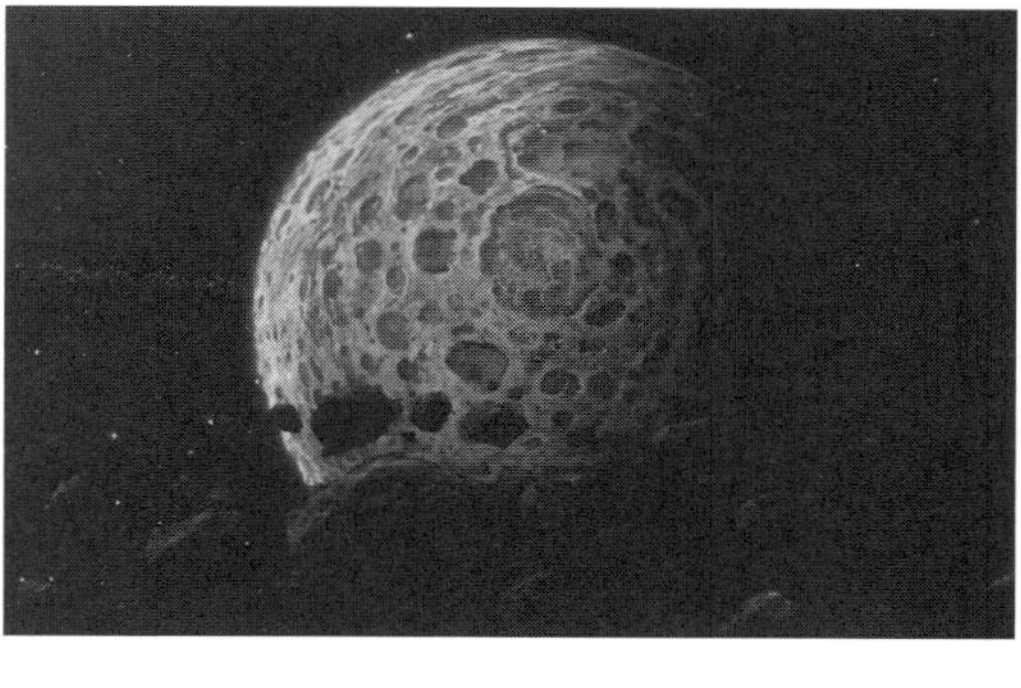

銃《じゅう》をかまえたレモが慎重《しんちょう》に中《なか》をのぞいてみる。が、やはり壊《こわ》れているようだ。いまは見《み》ない旧式《きゅうしき》の宇宙船《うちゅうせん》は、どこもかしこもボロボロで、中《なか》にはだれも乗《の》っていない。

「いないな」

下《した》に降《お》りて外周《がいしゅう》を調《しら》べていたチライが言《い》った。

「スカウターを使《つか》ってみる」

レモはいったん銃《じゅう》をおろして、スカウターのスイッチを入《い》れた。

どこかに人《ひと》の気配《けはい》はないかとあたりを見《み》まわしたちょうどそのとき。

少《すこ》しはなれた場所《ばしょ》から、ひとりの男《おとこ》がこちらに駆《か》けよってきた。

「……お、お……おお――――っ!! フリーザ軍《ぐん》か!?」

「!?」

雄叫《おたけ》びに近《ちか》い声《こえ》をあげて駆《か》けよってきた男《おとこ》は、足《あし》がもつれたようにその場《ば》に倒《たお》れた。

レモは岩《いわ》から飛《と》び降《お》りて、念《ねん》のために銃《じゅう》をかまえながら男《おとこ》に近《ちか》づく。

伸《の》びたヒゲに深《ふか》いシワのある男《おとこ》はずいぶん年老《としお》いているが、筋肉《きんにく》は盛《も》りあがり、体《からだ》はきたえられた戦士《せんし》のようだった。

着《き》ている服《ふく》はボロボロだが、どこかで見《み》たような気《き》もする。

「あっ！」

起《お》きあがろうとする男《おとこ》にシッポが生《は》えているのを見《み》て、レモはハッとした。

「あんた！　ま、まさかサイヤ人《じん》か!?」

「サイヤ人《じん》……？」

不思議《ふしぎ》そうに聞《き》きかえしながら、チライはレモの少《すこ》しうしろで立《た》ち止《ど》まった。

まだ若《わか》いチライは、かつてフリーザ軍《ぐん》に多《おお》くいたサイヤ人《じん》の活躍《かつやく》を知《し》らないらしい。

「ああ。俺《おれ》はパラガス。フリーザ軍《ぐん》のサイヤ人《じん》だ！」

むくりと顔《かお》を起《お》こした男《おとこ》が、立《た》ちあがりながらうなずく。

「救難信号《きゅうなんしんごう》は……」

「俺《おれ》だ。宇宙船《うちゅうせん》が故障《こしょう》したんだ」

やはりあの小型宇宙船《こがたうちゅうせん》で男《おとこ》――パラガスはこの星《ほし》で遭《そう》

難《なん》したようだ。

「信《しん》じられないほど永《なが》く待《ま》ったぞ。やっと助《たす》かった……！」

かみしめるように言《い》うパラガスを、チライはそっと片目《かため》につけたスカウターのスイッチを入《い》れて計測《けいそく》してみる。そのとたん、スコープに映《うつ》るカウンターが、ぐんぐん上昇《じょうしょう》した。

「……戦闘力《せんとうりょく》４２００……！　いいぞ……」

はじきだされた高数値《こうすうち》に、チライは小《ちい》さく喜《よろこ》んだ。これならフリーザも喜《よろこ》ぶはずだ。レモの言《い》うとおり、特別《とくべつ》ボーナスも夢《ゆめ》じゃない。

「あんたひとりか？」

「いや、もうひとり……」

銃《じゅう》をおろしたチライの質問《しつもん》に、パラガスが答《こた》えると同時《どうじ》に、地面《じめん》をゆらすような音《おと》がした。三人《にん》が顔《かお》をむけると、宇宙船《うちゅうせん》のむこうから、なにやら大量《たいりょう》の怪物《かいぶつ》がこちらにむかってくるではないか。巨大《きょだい》なダニのような怪物《かいぶつ》だ！

「「う、うわあ――――っ!!」」

思《おも》わず後《あと》ずさったレモとチライを追《お》うように、大《おお》きくジャンプした大《おお》ダニが宇宙船《うちゅうせん》の上《うえ》に飛《と》び乗《の》り、笑《わら》うようにガパリと口《くち》をあけた。舌《した》の先《さき》に針《はり》のような管《くだ》が見《み》える。

「ブロリー！」

うろたえる二人《ふたり》の横《よこ》で、パラガスが大《おお》きな声《こえ》でそう叫《さけ》ぶ。

怪物《かいぶつ》はレモとチライにねらいをさだめ、舌《した》を発射《はっしゃ》！

やられたっ！　――と、思《おも》ったまさにそのとき。

三人《にん》の前《まえ》に、とつぜん人影《ひとかげ》があらわれた。

「！」

そしていままさに針管《しんかん》を発射《はっしゃ》しようとしていた大《おお》ダニを、ものすごいスピードで蹴《け》り飛《と》ばす！

次《つぎ》の瞬間《しゅんかん》には、激《はげ》しい風《かぜ》が巻《ま》き起《お》こり、遠《とお》くに土《つち》ぼこりが立《た》っていた。

大《おお》ダニがそこまで吹《ふ》っ飛《と》ばされたのだ。

理解《りかい》したときには、チライのつけたスカウターが、浅黒《あさぐろ》い肌《はだ》の男《おとこ》の姿《すがた》をとらえていた。はだかの上半身《じょうはんしん》から、きたえあげられているのがよくわかる。

（ウソだろ……）

内心《ないしん》で思《おも》わずつぶやいてしまうほど、スカウターの計測《けいそく》する数値《すうち》は、勝手《かって》にぐんぐんとあがり続《つづ》けている。

「俺《おれ》の息子《むすこ》、ブロリーだ」

パラガスが男《おとこ》をそう紹介《しょうかい》した。

ゆっくりとこちらを振《ふ》りむいたブロリーは、そこでようやく二人《ふたり》に気《き》づいたようだ。けげんそうな目《め》つきを、遠慮《えんりょ》なく二人《ふたり》にむけてくる。

ぼさぼさに伸《の》びた黒髪《くろかみ》に、精悍《せいかん》な顔《かお》つき。

首《くび》に金属《きんぞく》のチョーカー風《ふう》のものをつけ、黒《くろ》いタイトスーツをはいた腰《こし》には、緑色《みどりいろ》の毛皮《けがわ》のようなものを巻《ま》いている。

どこか野性的《やせいてき》な雰囲気《ふんいき》のわりに、二人《ふたり》を見《み》る表情《ひょうじょう》はおとなしく、さきほど大《おお》ダニを吹《ふ》っ飛《と》ばした男《おとこ》とは思《おも》えないほど、おだやかでもある。

ピピピピピ――！

「そ、そんな……！」

スカウターごしにブロリーを見《み》ていたチライは、10万《まん》で止《と》まったカウントに思《おも》わず声《こえ》をあげてしまった。計測不能《けいそくふのう》をあらわす赤《あか》い点滅《てんめつ》が目《め》にうるさい。

「なんだ？」

振《ふ》りむいたレモに、チライはスカウターをつけながら、引《ひ》きつったような笑顔《えがお》を見《み》せる。

「せ、戦闘力《せんとうりょく》が計測《けいそく》できねえ……」

「バカな、そんなことはありえな――」

半信半疑《はんしんはんぎ》で自分《じぶん》のスカウターをつけたレモも、途中《とちゅう》で言葉《ことば》を失《うしな》った。

まったく同《おな》じ結果《けっか》が出《で》たのだ。

「うわあ!!」

こんな辺鄙《へんぴ》な惑星《わくせい》で、目標《もくひょう》を達成《たっせい》できてしまった。しかもいっぺんに二人《ふたり》も、だ。

「乗《の》ってくれ！　フリーザ様《さま》がお喜《よろこ》びになるぞ！」

とびはねるように喜《よろこ》びながら、レモは興奮気味《こうふんぎみ》に、二人《ふたり》を自分《じぶん》たちの乗《の》ってきた宇宙船《うちゅうせん》に案内《あんない》した。

パラガスとブロリーを乗《の》せた宇宙船《うちゅうせん》が、惑星《わくせい》を離陸《りりく》してしばらく。

フリーザのいる母船《ぼせん》にも、有力《ゆうりょく》な戦闘員《せんとういん》確保《かくほ》の知《し》らせはすませた。あとはむかうだけの宇宙船《うちゅうせん》内《ない》では、とくにすることもない。

操縦《そうじゅう》をレモにまかせているチライは、携帯食料《けいたいしょくりょう》として持《も》ってきていたスナックバーを食《た》べていた。宇宙《うちゅう》ならどこにでも売《う》っている個別包装《こべつほうそう》のポピュラーなおやつだ。

一仕事終《ひとしごとお》えたごほうびに、小腹《こばら》を満《み》たそうと思《おも》ったのだ。

だけど、ひと口《くち》、ふた口《くち》、とかじりつくたびに、となりからの視線《しせん》をやたらと感《かん》じる。

「……」

「え、と……なんて言《い》ったっけ、あんた」

穴《あな》があきそうなほど見《み》つめられて、チライはうんざりした目《め》をとなりにむけた。

「……ブロリー」

一応《いちおう》の返答《へんとう》はくれたが、ブロリーの視線《しせん》はチライではなく、ずっとスナックバーにむけられている。

二人《ふたり》を見《み》つけた惑星《わくせい》には、ほかに会話《かいわ》のできる生命体《せいめいたい》はいないようだったので、そのせいかブロリーはあまりおしゃべりではないようだ。

「これ食《く》うかい？　ブロリー。うまいぜ、ほら」

不思議《ふしぎ》そうにスナックバーを見続《みつづ》けるブロリーに、チライは自分《じぶん》のひざにのせていた新《あたら》しい包《つつ》みをさしだしてやった。

ブロリーが席《せき》から首《くび》を伸《の》ばす。そのままチライの持《も》つスナックバーにかじりつこうと、大《おお》きく口《くち》をあける。

「おわっ！　包《つつ》みを破《やぶ》くんだよ！」

「……？」

あわてて手《て》を引《ひ》っこめて、チライはかわりに破《やぶ》いてやった。

それからもう一度《いちど》さしだすと、ブロリーは眉《まゆ》をよせながらゆっくりとスナックバーのほうへと顔《かお》を近《ちか》づけ、フンフン、と鼻《はな》を鳴《な》らしてニオイをかいだ。

まるで、未知《みち》のものを前《まえ》にした野生動物《やせいどうぶつ》のようだ。

「いただけ、ブロリー」

「……」

横《よこ》の座席《ざせき》からパラガスが声《こえ》をかけてきた。会話《かいわ》というより命令《めいれい》に聞《き》こえる。だがブロリーは主人《しゅじん》から命《めい》じられた犬《いぬ》のように、素直《すなお》にスナックバーにかじりついた。

「！」

そうして飲《の》みこんだブロリーの目《め》が、驚《おどろ》きに大《おお》きく見《み》開《ひら》かれていく。

チライの手《て》からうばうようにスナックバーを取《と》ると、両手《りょうて》でつかみ、ガツガツと一気《いっき》に食《た》べはじめた。今度《こんど》はなんだか、おいしいものを前《まえ》にした子供《こども》のようだ。

「ははっ。どうだ、うまいだろ？」

「……」

素直《すなお》なブロリーの行動《こうどう》に思《おも》わず笑顔《えがお》が出《で》てしまう。けれどこちらにはちらりとも視線《しせん》をむけないまま、ブロリーは無心《むしん》にスナックバーを食《た》べ続《つづ》けている。

チライはひょいっと肩《かた》をすくめた。

「なんだ。礼《れい》もなしかよ」

「お礼《れい》を言《い》うんだ、ブロリー」

またパラガスが声《こえ》をかける。

そうすると、ブロリーはすぐに食《た》べるのをやめた。

うかがうようにチライを見《み》て、大《おお》きな体《からだ》に似《に》あわない、小《ちい》さな声《こえ》でぼそぼそと言《い》う。

「……ありがとう、ございます……」

「へっ。かたいな。サンキューでいいよ」

スナックバーくらい、そんなものだ。

軽《かる》く言《い》いながら、チライは左手《ひだりて》の親指《おやゆび》と人差《ひとさ》し指《ゆび》をつけて、オーケーサインを作《つく》って見《み》せる。

きょとんとした顔《かお》でその動《うご》きを見《み》ていたブロリーが、おぼつかない動《うご》きで、同《おな》じサインをまねしてみせた。

「……サ、サン、キュー」

「おう！」

あんな惑星《わくせい》にずっと住《す》んでいたせいで、会話《かいわ》はうまくないけれど、ブロリーは純粋《じゅんすい》で素直《すなお》なヤツだ。ニカッと笑顔《えがお》で返《かえ》しながら、チライはそう思《おも》った。


それからいくらか時間《じかん》がすぎて。

レモたちは、銀河《ぎんが》の真《ま》っただ中《なか》に停泊《ていはく》しているフリーザの宇宙艦隊《うちゅうかんたい》の姿《すがた》を見《み》つけた。

たどり着《つ》いたレモたちの宇宙船《うちゅうせん》は、するりと飲《の》みこまれるようにフリーザの待《ま》つ大《おお》きな宇宙船《うちゅうせん》の中《なか》に入《はい》っていく。

ハッチを開《ひら》き、宇宙船《うちゅうせん》のドックへ降《お》りた四人《よにん》は、フリーザの側近《そっきん》であるベリブルに出迎《でむか》えられた。

側近《そっきん》がもどった非戦闘員《ひせんとういん》を直々《じきじき》に迎《むか》えにくるのは異例《いれい》だ。

ついてくるように言《い》ったベリブルが、大《おお》きなドアの前《まえ》で立《た》ち止《ど》まる。

ノックもなく、シュン、と空気音《くうきおん》をひびかせてドアが開《ひら》いた。

「お連《つ》れしましたよ、フリーザ様《さま》」

中《なか》はひろく、円形《えんけい》になっていた。

その中央《ちゅうおう》には、しつらえられた玉座《ぎょくざ》のようなイスがある。

窓《まど》から宇宙《うちゅう》を見《み》つめていたらしいフリーザは、ベリブルの声《こえ》に振《ふ》りむき、ブロリーへと目《め》をとめる。

「ほおぉぉ……」

フリーザの口《くち》から感嘆《かんたん》の声《こえ》がもれた。

値踏《ねぶ》みするようにブロリーを見《み》つめるひとみは、うれしげに見開《みひら》かれている。

（へぇえ。これがフリーザ様《さま》かあ……！）

レモもチライも、こんなに近《ちか》くでフリーザを見《み》るのは初《はじ》めてだ。

緊張《きんちょう》して直立《ちょくりつ》している二人《ふたり》とは裏腹《うらはら》に、ブロリーはフリーザではなく部屋《へや》の中《なか》をキョロキョロ見《み》まわしていた。見慣《みな》れない光景《こうけい》に遠慮《えんりょ》がない。

「……あなた、本当《ほんとう》にサイヤ人《じん》ですか？　シッポがないようですが」

「はい」

ブロリーにかわり答《こた》えたのは、パラガスだ。

右手《みぎて》を胸《むね》にあて、フリーザにかしずくように頭《あたま》をさげる。

「サイヤ人《じん》の特徴《とくちょう》である大猿《おおざる》に変身《へんしん》する影響《えいきょう》で、我《われ》を失《うしな》ったことがありまして……それで私《わたし》がシッポを……」

二人《ふたり》の会話《かいわ》に興味《きょうみ》を示《しめ》さず、ブロリーは浮《う》かんでいるフリーザのポッドを見《み》ている。そんな様子《ようす》を見《み》ながら、フリーザはパラガスに聞《き》いた。

「以後《いご》はなくなりましたか？　我《われ》を失《うしな》うことは」

「……はい……めったには」

どこか歯切《はぎ》れの悪《わる》いパラガスに、フリーザがするどく目《め》を細《ほそ》める。

「ということは、たまにあるのですね？」

「ご、ご安心《あんしん》ください。その場合《ばあい》は——」

あわてて腰《こし》のポシェットを探《さぐ》ったパラガスは、小《ちい》さな装置《そうち》を取《と》りだした。

なんだ？　とのぞきこもうとしたチライの横《よこ》で、ブロリーがビクッとして、後《あと》ずさる。

「このリモコンで、首《くび》につけている装置《そうち》に電流《でんりゅう》が流《なが》れます。強《つよ》い電流《でんりゅう》ではありませんが、抑制《よくせい》はできます」

ブロリーの首輪《くびわ》の理由《りゆう》を知《し》って、レモとチライは思《おも》わず顔《かお》を見《み》あわせてしまった。

安全性《あんぜんせい》を説《と》いているつもりなのだろうが、やっていることはかなりおかしい。息子《むすこ》に電流《でんりゅう》を流《なが》してしつけをするなんて、ふつうではない。

リモコンにおびえ、首輪《くびわ》に手《て》をかけはずそうともがくブロリーを見《み》れば、異常《いじょう》さはあきらかだ。

フリーザは「なるほど」と納得《なっとく》したようだ。

レモたちのところへとさがっていたブロリーに視線《しせん》をうつす。

「あなた、お名前《なまえ》は？」

「……」

けれどブロリーは答《こた》えない。

首輪《くびわ》に手《て》をかけたまま、フリーザの声《こえ》など聞《き》こえないようにまたまわりを見《み》まわしはじめる。

あわてたように前《まえ》に出《で》てかわりに答《こた》えたのは、やはりパラガスだ。

「ブロリーでございます」

「まだとてつもない戦闘力《せんとうりょく》を秘《ひ》めていますね……」

「はっ。かならずやフリーザ様《さま》のお役《やく》に立《た》てると確信《かくしん》しております」

フリーザは自由《じゆう》に船内《せんない》を見《み》まわすブロリーを、穴《あな》があくほどじっと見《み》つめ、それからくるりと背《せ》をむけた。

答《こた》えたパラガスには興味《きょうみ》がないとでもいうかのようだ。

「ほほほ。これは思《おも》いがけない収穫《しゅうかく》ですね。ベリブルさん、見《み》つけたお二人《ふたり》に報奨金《ほうしょうきん》をさしあげてください」

楽《たの》しげな笑《わら》い声《ごえ》をあげたフリーザにうなずいて、ベリブルは用意《ようい》していた銀《ぎん》の棒《ぼう》を二人《ふたり》にさしだす。宇宙共通通貨《うちゅうきょうつうつうか》だ。うまくいけば特別《とくべつ》ボーナスが——などとは思《おも》っていたが、これは破格《はかく》の金額《きんがく》だ。

「こ、こんなに……！」

受《う》け取《と》ったレモの横《よこ》で、チライも目《め》をキラキラさせて銀《ぎん》の棒《ぼう》を見《み》つめる。

これだけあれば、しばらく豪遊《ごうゆう》できそうだ。

いっしょにのぞきこもうとしたブロリーに見《み》せてやろうと顔《かお》をあげた二人《ふたり》は、ふとフリーザの視線《しせん》に気《き》がついた。だまってはいるが、まだブロリーたちに話《はなし》があるらしい。

「「ありがとうございました!!」」

口《くち》をそろえ、頭《あたま》をさげて、レモとチライはさっさとその場《ば》から退出《たいしゅつ》した。


そのドアが閉《し》まるのと同時《どうじ》に、フリーザが窓《まど》の外《そと》にひろがる宇宙《うちゅう》を見《み》つめながら話《はな》しかけた。

「永《なが》いあいだ、なにもないような星《ほし》から脱出《だっしゅつ》できずにいたそうですね」

「はい……」

やはり答《こた》えるのはパラガスだけだ。

「帰《かえ》るべき惑星《わくせい》ベジータは、すでにもうないことはご存《ぞん》じですか？」

かつて自分《じぶん》が滅《ほろ》ぼした惑星《わくせい》の名前《なまえ》を口《くち》にしながら、フリーザの口元《くちもと》はニヤニヤと残酷《ざんこく》な笑《え》みを浮《う》かべている。

けれど、見《み》えないパラガスはそれに気《き》づかず、「はい」と静《しず》かにうなずいた。

「ここにくる途中《とちゅう》に聞《き》きました。しかし、そんなことはどうでもいいんです。ただ……」

ギリッと奥歯《おくば》をかみしめながら語《かた》るパラガスに、フリーザはおもしろそうに言《い》った。

「復讐《ふくしゅう》、ですね？」

「……っ」

ちらりと様子《ようす》をうかがったフリーザは、憎《にく》しみのこもった目《め》で拳《こぶし》をにぎるパラガスに、にやりと確信《かくしん》に満《み》ちた笑《え》みを浮《う》かべた。

なるほど。

フリーザの見立《みた》てでも、ブロリーはかなりの強《つよ》さを秘《ひ》めている。

サイヤ人《じん》は戦闘力《せんとうりょく》で階級《かいきゅう》をきめていたはずだ。

あのベジータ王《おう》が、有力《ゆうりょく》な戦闘員《せんとういん》になるはずのブロリーを飛《と》ばし子《ご》にした理由《りゆう》は、彼《かれ》の持《も》つ強《つよ》さへの嫉妬《しっと》か、はたまた恐怖心《きょうふしん》か——。

どちらにせよ、赤《あか》ん坊《ぼう》のうちに殺《ころ》さなかったのが不思議《ふしぎ》なほどだ。その昔《むかし》、伝説《でんせつ》だった超《スーパー》サイヤ人《じん》の出現《しゅつげん》を嫌《きら》い、惑星《わくせい》ごと消《け》したフリーザなら、まちがいなく殺《ころ》していただろう。

けれどそうはならなかったおかげで、これからおもしろいことができそうだ。

「……パラガスさん。ベジータ王《おう》の息子《むすこ》、ベジータ四世《せい》はまだ生《い》きていることをご存《ぞん》じですか？」

「なっ、なんですと！　ベジータ王子《おうじ》が……!?　お、おのれ……ベジータめ……！」

かつての王《おう》の息子《むすこ》へと転《てん》じはじめた怒《いか》りで、パラガスは拳《こぶし》をわなわなとふるわせている。

倒《たお》すべき憎《にく》い王《おう》の喪失《そうしつ》でくすぶっていた復讐心《ふくしゅうしん》を、存分《ぞんぶん》に利用《りよう》させていただこう。

「あなたの復讐《ふくしゅう》に力《ちから》を貸《か》してさしあげましょう」

フリーザは邪悪《じゃあく》な笑《え》みで口元《くちもと》をゆがめながら、横《よこ》のベリブルに声《こえ》をかけた。

「ベリブルさん。お二人《ふたり》にシャワーを浴《あ》びていただいたら、戦闘服《せんとうふく》を用意《ようい》してあげてください」

「はい」

長年《ながねん》つかえているベリブルには、フリーザの考《かんが》えがきっとわかったはずだ。

なにも聞《き》かずに二人《ふたり》を連《つ》れだっていったベリブルの姿《すがた》がドアの外《そと》に消《き》えてから、フリーザは楽《たの》しそうに目《め》をつむった。

「今回《こんかい》は、闘《たたか》うつもりはなかったんですがねぇ……」

それから、ふたたび目《め》をあける。

「これはおもしろくなってきましたよ」

かがやく宇宙《うちゅう》の星々《ほしぼし》を見《み》つめるそのひとみは、楽《たの》しくてしかたがないとでもいうかのように、あやしげな光《ひかり》をはなっていた。

其《そ》之《の》三《さん》 王《おう》と大佐《たいさ》

それはいまから四十一年《よんじゅういちねん》も前《まえ》のことである。

まだ惑星《わくせい》ベジータがこの宇宙《うちゅう》に存在《そんざい》し、ベジータ王《おう》をはじめとする多《おお》くのサイヤ人《じん》たちが生存《せいぞん》していたころの話《はなし》だ。

ベジータの父《ちち》、ベジータ王《おう》三世《せい》はある決断《けつだん》をくだした。大佐《たいさ》であるパラガスの息子《むすこ》、ブロリーを、辺境《へんきょう》の惑星《わくせい》へとポッドで飛《と》ばし子《ご》にすることを。

その日《ひ》、惑星《わくせい》ベジータを実質支配《じっしつしはい》していたコルド大王《だいおう》が、なんの連絡《れんらく》もなしに来訪《らいほう》した。そしてあっさりと引退《いんたい》を宣言《せんげん》し、息子《むすこ》のフリーザへ王位《おうい》を引《ひ》き継《つ》ぐと知《し》らせてきた。

サイヤ人《じん》のプライドにかけ独立《どくりつ》の可能性《かのうせい》を模索《もさく》する中《なか》、邪悪《じゃあく》のかたまりのようなフリーザに、ベジータ王《おう》は気《け》おされて、頭《あたま》をあげることすらできなかった。

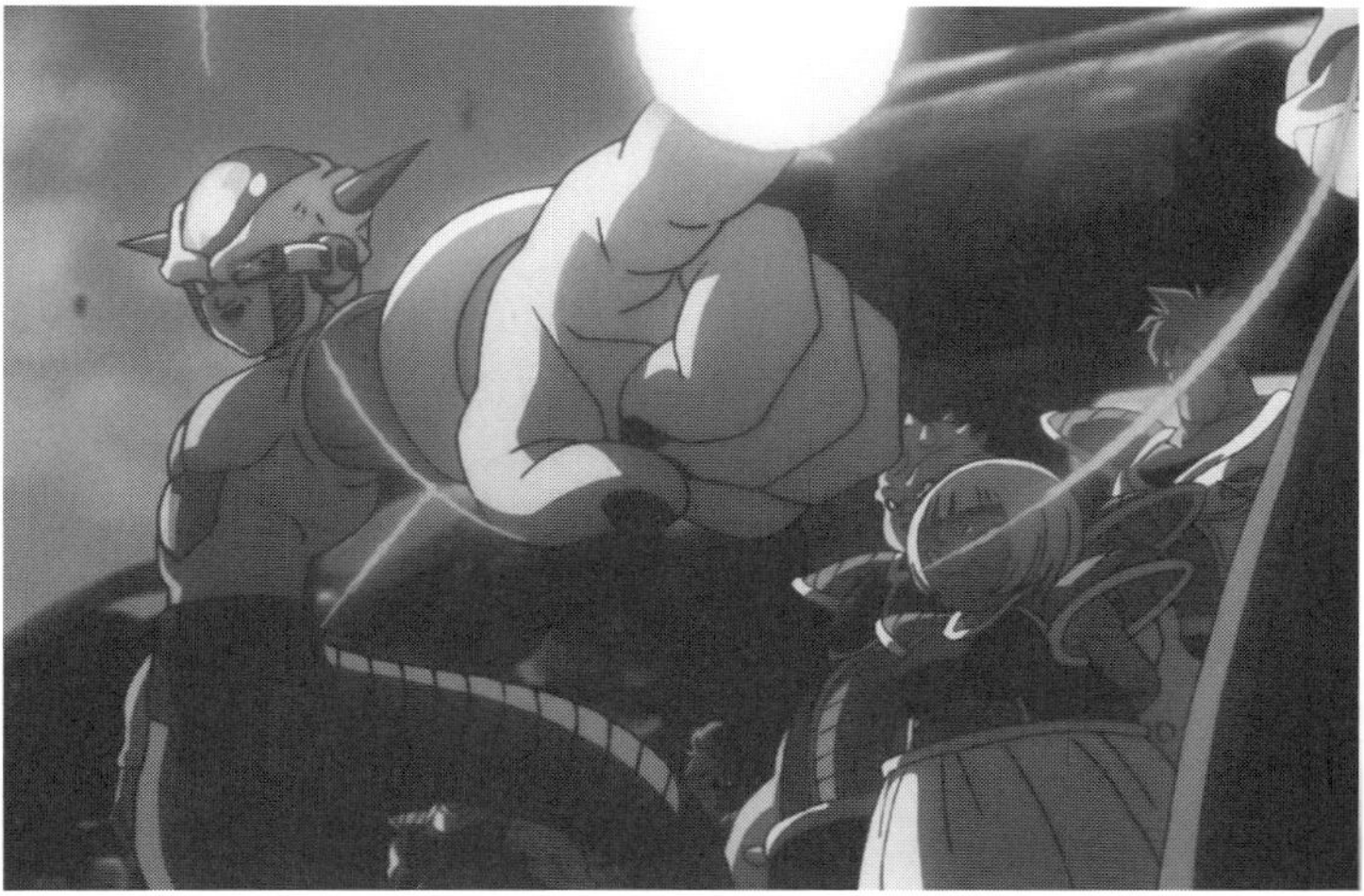

まるで小《ちい》さなバケモノだった。

「わたしの就任《しゅうにん》を記念《きねん》して、新《あたら》しい戦闘《せんとう》アイテムを持《も》ってきてあげましたよ」

コルド大王《だいおう》をそのままコンパクトにしたような体《からだ》のくせに、バカていねいな口調《くちょう》が鼻《はな》につく。

「新開発《しんかいはつ》のスカウターというもので、これまで使《つか》っていたスカウトスコープをコンパクトに装着《そうちゃく》できるようにしたもので、通話《つうわ》も同時《どうじ》に可能《かのう》です。相手《あいて》の位置《いち》と戦闘力《せんとうりょく》――」

新開発《しんかいはつ》のスカウターをケースから取《と》りだし、装着《そうちゃく》したフリーザは、その性能《せいのう》を説明《せつめい》するためにスイッチを入《い》れた。

「おや……？　何人《なんにん》かのサイヤ人《じん》が、我々《われわれ》を武器《ぶき》でねらっているようですが……あそこにかくれているサイヤ人《じん》の戦闘力《せんとうりょく》は……２０００……」

もしもの場合《ばあい》にそなえて配備《はいび》していた部下《ぶか》たちを見《み》つけると、

「なかなか優秀《ゆうしゅう》です、ね？」

そう言《い》うと同時《どうじ》に指先《ゆびさき》からはなったデスビームで、あっというまに全員《ぜんいん》を殺《ころ》してしまったのだ。

ご機嫌《きげん》にシッポを動《うご》かすフリーザの勝《か》ち誇《ほこ》ったような顔《かお》が頭《あたま》にこびりついてはなれない。

フリーザ軍《ぐん》が去《さ》ったあと、けわしい顔《かお》で育児室《いくじしつ》にむかったベジータ王《おう》は、たくさんの育児《いくじ》カプセルの一番奥《いちばんおく》にある階段《かいだん》をのぼり、特別《とくべつ》カプセルの中《なか》で眠《ねむ》る我《わ》が子《こ》の姿《すがた》に、ようやく胸《むね》に野心《やしん》を取《と》りもどした。

「ほう……もうこんなに大《おお》きくなったのか」

すやすやと眠《ねむ》る息子《むすこ》、ベジータの戦闘力《せんとうりょく》は、サイヤ人史上《じんしじょう》まれに見《み》る高《たか》さなのだ。

「自慢《じまん》の息子《むすこ》よ！　おまえの潜在能力《せんざいのうりょく》は天才的《てんさいてき》だ。宇宙《うちゅう》の王《おう》になるのは、あんなフリーザなどという化《ば》け物《もの》ではなく、おまえだ！　成長《せいちょう》を楽《たの》しみにしているぞ」

カプセルの中《なか》に強《つよ》く語《かた》りかけ、ニヤリと笑《わら》う。

そうして育児室《いくじしつ》を退出《たいしゅつ》しようとしたベジータ王《おう》は、ふと、階下《かいか》に設置《せっち》された特別《とくべつ》カプセルに気《き》がついた。

「!?　こいつはだれだ！　なぜ特別《とくべつ》カプセルに入《はい》っている!!」

サイヤ人《じん》の育児室《いくじしつ》は、潜在能力《せんざいのうりょく》を認《みと》められた優秀《ゆうしゅう》な赤《あか》ん坊《ぼう》だけが入《はい》ることを許《ゆる》された特別《とくべつ》なものだ。その中《なか》でも、自慢《じまん》の息子《むすこ》ベジータのようにさらに優秀《ゆうしゅう》な赤《あか》ん坊《ぼう》だけが入《はい》ることを許《ゆる》されたカプセルに、なぜ、知《し》らない赤《あか》ん坊《ぼう》が入《はい》っているのか。

「はっ、はい！　この子《こ》はブロリー。パラガス大佐《たいさ》のお子様《こさま》です」

「パラガスの？」

育児《いくじ》スタッフが、ベジータ王《おう》の怒声《どせい》におびえながら説《せつ》明《めい》する。

「はいっ、そ、その……ブロリーの潜在能力《せんざいのうりょく》が特別《とくべつ》でして……それで……」

「天才的《てんさいてき》な我《わ》が子《こ》の数値《すうち》に匹敵《ひってき》すると言《い》うのか！」

「は、はいぃっ……！」

言《い》いにくそうに目《め》を泳《およ》がせたスタッフのかわりに、別《べっ》

のスタッフがスキャナーの数値《すうち》を見《み》ながら口《くち》を開《ひら》く。

「計測時《けいそくじ》にもよるのですが、王子様《おうじさま》の数値《すうち》をも超《こ》えるレベルでして……」

「そんなことはありえない……王子《おうじ》の数値《すうち》でさえ過去最高《かこさいこう》なんだ‼　貸《か》せ！」

声《こえ》を荒《あら》らげ、ベジータ王《おう》はスタッフからスキャナーをひったくった。

息子《むすこ》よりも高《たか》い数値《すうち》などありえない。計器《けいき》の故障《こしょう》だ。

特別《とくべつ》カプセルで眠《ねむ》るブロリーにスキャナーをむけると、数値《すうち》は静《しず》かに上昇《じょうしょう》を始《はじ》め、――外《そと》の動《うご》きになにかを感《かん》じ取《と》ったのか、ブロリーが急《きゅう》にむずかりだした。

「ふ、ふぇ……ふえぇ～」

すると、その泣《な》き声《ごえ》に呼応《こおう》するかのように数値《すうち》はぐんぐんはねあがり、やがてスキャナーはボウンッ！　と音《おと》を立《た》てて、爆発《ばくはつ》した。

「うおっ」

「も、もうしわけありません！　やはり故障《こしょう》していたようです。早《はや》く新《あたら》しい計器《けいき》を！」

あわてたスタッフたちが、バタバタと新《あたら》しい計器《けいき》を用意《ようい》しはじめる。

大人《おとな》たちの動揺《どうよう》をよそに、ブロリーはふたたびスヤスヤと眠《ねむ》りについた。そこへスタッフがスキャナーをむける。と、今度《こんど》は一般的《いっぱんてき》な戦士《せんし》としてのデータがはじきだされたではないか。

「再測定《さいそくてい》の結果《けっか》、数値《すうち》が半分以下《はんぶんいか》になりました。過去《かこ》に異常《いじょう》な数値《すうち》が出《で》たことがあったのですが、やはり計器《けいき》の故障《こしょう》でしょう……」

けれどすぐに、別《べつ》のスタッフが誇《ほこ》らしげにカルテから顔《かお》をあげる。

どこかホッとしたように数値《すうち》を見《み》せられ、ベジータ王《おう》の眉間《みけん》にしわがよった。

「しかしそのような異常《いじょう》なデータを排除《はいじょ》しても、ブロリーの潜在能力《せんざいのうりょく》はそうとうなものです！　このまま訓練《くんれん》をつめば、すばらしい戦士《せんし》に育《そだ》ち、わが軍《ぐん》の強力《きょうりょく》な戦力《せんりょく》に……！」

スタッフは、ブロリーの可能性《かのうせい》にひとみをかがやかせている。

ベジータ王《おう》は、眉間《みけん》のしわをよりいっそう深《ふか》くした。

同《おな》じサイヤ人《じん》として、惑星《わくせい》ベジータを担《にな》う者《もの》として、高《たか》い戦闘力《せんとうりょく》は必要《ひつよう》だ。

サイヤ人《じん》は少数《しょうすう》ながらもそれぞれに強大《きょうだい》な力《ちから》を持《も》ち、ほかの惑星《わくせい》を支配《しはい》して生《い》きていく種族《しゅぞく》なのだから。

だがそこに目《め》をつけられ、宇宙一《うちゅういち》の強《つよ》さを誇《ほこ》るフリーザの支配下《しはいか》に置《お》かれてもいる。

いつか独立《どくりつ》を勝《か》ち取《と》るためにも、強《つよ》いサイヤ人《じん》は重要《じゅうよう》な存在《そんざい》になるだろう。しかし……

「それこそ、伝説《でんせつ》の超《スーパー》サイヤ人《じん》にさえ――」

興奮気味《こうふんぎみ》に話《はな》すスタッフの言葉《ことば》で、ベジータ王《おう》はブロリーの処遇《しょぐう》を決定《けってい》した。

それが、辺境《へんきょう》の惑星《わくせい》へ飛《と》ばし子《ご》にすることだった。

ブロリーの父《ちち》パラガス大佐《たいさ》は、その話《はなし》を聞《き》くやいなや、すぐにベジータ王《おう》のもとにやってきた。

「ご無礼《ぶれい》をお許《ゆる》しください。わ、我《わ》が息子《むすこ》ブロリーをポッドで辺境《へんきょう》の星《ほし》に飛《と》ばすおつもりだとか……」

許可《きょか》も得《え》ず飛《と》びこんできたパラガスは、左右《さゆう》に多《おお》くの将軍《しょうぐん》を配《はい》した謁見《えっけん》の間《ま》で、ベジータ王《おう》の前《まえ》にうやうやしくひざをつく。

「そうだ」

「そ、それは下級戦士《かきゅうせんし》の役割《やくわり》……」

戦闘能力《せんとうのうりょく》が低《ひく》いと判断《はんだん》されたサイヤ人《じん》の赤《あか》ん坊《ぼう》は、自宅《じたく》の育《いく》児《じ》カプセルで育《そだ》つ。

そして辺境《へんきょう》の惑星《わくせい》へとポッドで飛《と》ばされることが多《おお》い。

その星《ほし》で強《つよ》く成長《せいちょう》できたものは、その星《ほし》を制圧《せいあつ》する。それがサイヤ人《じん》の宿命《しゅくめい》でもある。

だが上級戦士《じょうきゅうせんし》は別《べつ》だ。惑星《わくせい》ベジータで戦闘《せんとう》の英才教育《えいさいきょういく》を受《う》け

ることができる。

ブロリーにはその資格《しかく》があるはずだ。

言《い》いつのるパラガスに、ベジータ王《おう》は小《ちい》さく息《いき》をついた。

「星《ほし》を制圧《せいあつ》できるほどに成長《せいちょう》できれば、さらに強力《きょうりょく》な戦士《せんし》になれるかもしれんだろ。星《ほし》を支配《しはい》して高《たか》く売《う》る。それが我々《われわれ》、戦闘民族《せんとうみんぞく》サイヤ人《じん》だ」

ベジータ王《おう》の言《い》い分《ぶん》は、まったく理《り》にかなっていない。

「……目的地《もくてきち》である、小惑星《しょうわくせい》バンパは、人間《にんげん》さえいない過酷《かこく》なだけの星《ほし》です……高《たか》く売《う》れるとは思《おも》われませんが……」

恐怖《きょうふ》にふるえながらもグッと顔《かお》をあげたパラガスに、ベジータ王《おう》は告《つ》げた。

「おまえの息子《むすこ》の潜在能力《せんざいのうりょく》は、異常《いじょう》なまでに高《たか》すぎる。突然変異《とつぜんへんい》と言《い》ってもいいだろう」

強《つよ》い戦闘力《せんとうりょく》は必要《ひつよう》だ。

けれど、強《つよ》すぎる潜在能力《せんざいのうりょく》は、問題《もんだい》がある。

「あれでは、いずれ正常《せいじょう》な精神状態《せいしんじょうたい》はたもてなくなり、我《わ》がベジータ軍《ぐん》はおろか、宇宙《うちゅう》そのものを危機《きき》にさらすことになる。……命《いのち》を絶《た》たずに、星《ほし》に飛《と》ばしてやるだけでもありがたく思《おも》え」

「そ、そんな……」

手《て》を振《ふ》り、さがれと指示《しじ》を出《だ》したベジータ王《おう》に、パラガスはふらつきながら立《た》ちあがる。

「あ、あなたは……！　王子《おうじ》より高《たか》い潜在能力《せんざいのうりょく》を持《も》ったブロリーに嫉妬《しっと》し！　亡《な》き者《もの》にしようと――」

けれど、その先《さき》をパラガスは言《い》えなかった。

なぜなら、ベジータ王《おう》がすさまじい気《き》をはなち、パラガスをにらみつけたからだ。

「それ以上口《いじょうくち》を開《ひら》いてみろ。貴様《きさま》は死《し》ぬことになるぞ」

「……ぐっ！」

「それにもうおそい。ポッドはいま発射《はっしゃ》した」

それで、この話《はなし》は終《お》わり――の、はずだった。

しかしパラガスは、謁見《えっけん》の間《ま》のステンドグラスからポッドの射出《しゃしゅつ》された空《そら》を見《み》あげると、一目散《いちもくさん》に駆《か》けだした。そのままステンドグラスを割《わ》って、空《そら》へと飛《と》びだす。

さすがにいまからポッドに直接《ちょくせつ》むかっても間《ま》にあわない。

猛然《もうぜん》と宇宙船発着場《うちゅうせんはっちゃくじょう》へと飛行《ひこう》したパラガスは、制止《せいし》するスタッフをはねのけて、宇宙船《うちゅうせん》へと乗《の》りこんだ。

『ただちに帰投《きとう》せよ。繰《く》りかえす、ただちに帰投《きとう》せよ……』

あっというまに加速《かそく》した宇宙船《うちゅうせん》の中《なか》に、基地《きち》からの無線《むせん》が繰《く》りかえされる。

それを無視《むし》して、パラガスは惑星《わくせい》バンパにむけてナビゲートを設定《せってい》した。

「王《おう》の目的《もくてき》は、我《わ》が息子《むすこ》ブロリーの抹殺《まっさつ》だ……」

王子《おうじ》の天才的《てんさいてき》な能力《のうりょく》を、おりにふれて自慢《じまん》していたベジータ王《おう》のことだ。その能力《のうりょく》を超《こ》えてしまったブロリーの存在《そんざい》は、たいそう気《き》に入《い》らなかったにちがいない。

「俺《おれ》はブロリーを最強《さいきょう》の戦士《せんし》に育《そだ》て、いずれベジータ王《おう》に復讐《ふくしゅう》してやる……！」

憎《にく》しみのほのおをたぎらせて、パラガスはそう誓《ちか》った。

この思《おも》いを成就《じょうじゅ》させるためにも、ブロリーはかならず救《すく》ってやらなければ。


それから眠《ねむ》れない数日《すうじつ》をすごし、ようやく見《み》えてきた惑星《わくせい》バンパは、薄暗《うすぐら》い夜《よる》の闇《やみ》に包《つつ》まれているかのようだった。嵐《あらし》のように吹《ふ》き荒《あ》れる風《かぜ》に巻《ま》きこまれ、ほとんど墜落《ついらく》するように着陸《ちゃくりく》したのは、ゴツゴツとした岩山《いわやま》のふもとだ。

「生《い》きていろよ、ブロリー。すぐに助《たす》けてやる……！」

念《ねん》のためマスクを装着《そうちゃく》して、パラガスは宇宙船《うちゅうせん》の外《そと》に出《で》る。

計算《けいさん》では、ブロリーを乗《の》せたポッドのほうが、二日《ふつか》ほど前《まえ》にバンパに到着《とうちゃく》しているはずだ。

荒《あ》れて、黄色《きいろ》くむきだしの土地《とち》に、乾《かわ》いた風《かぜ》。

空《そら》を見《み》あげればすぐ近《ちか》くに衛星《えいせい》が見《み》えた。あまり見《み》ていると月《つき》と錯覚《さっかく》しそうな気《き》がする。

手持《ても》ちタイプのスカウトスコープを生命反応探知《せいめいはんのうたんち》モードに切《き》り替《か》えて歩《ある》いていると、どこからともなく足音《あしおと》のようなノイズをスコープが拾《ひろ》った。

「……なんだ？」

立《た》ち止《ど》まり、スコープが示《しめ》す点滅《てんめつ》に目《め》をこらす。

生命反応《せいめいはんのう》を知《し》らせる大量《たいりょう》の光《ひかり》が、間近《まぢか》に密集《みっしゅう》してせまっているようだ。

望遠《ぼうえん》モードに切《き》り替《か》えれば、パラガスの目《め》に大《おお》ダニの群《む》れが見《み》えた。

「な、なんだあれは!?」

地鳴《じな》りのような足音《あしおと》をひびかせ、いっせいにむかってくる。

パラガスはとっさに光線銃《こうせんじゅう》をかまえた。

目前《もくぜん》にせまる大《おお》ダニが、ガパリと口《くち》をあける。中《なか》から飛《と》びだしてきた針管《しんかん》を横《よこ》によけ、光線銃《こうせんじゅう》をはなつ！　が、頑丈《がんじょう》なカラにおおわれた体《からだ》には傷《きず》ひとつついていないようだった。手持《ても》ちの武《ぶ》器《き》はこれだけだ。それに、闘《たたか》うには数《かず》も多《おお》すぎる。

パラガスは地面《じめん》の亀裂《きれつ》に身《み》をひそめ、大《おお》ダニの群《む》れが行《い》きすぎるのを待《ま》つしかなかった。

それからおそらく数時間《すうじかん》だ。

日《ひ》の出《で》を迎《むか》えるころになって、ようやく大《おお》ダニの群《む》れは姿《すがた》を消《け》した。

亀裂《きれつ》の中《なか》から浮上《ふじょう》して、パラガスは空《そら》から地上《ちじょう》を見《み》おろしてみる。

空《そら》を飛《と》ぶような生《い》き物《もの》はどうやらいないらしい。

夜《よる》のうちにあれほど吹《ふ》き荒《あ》れていた嵐《あらし》はおさまっている。夜《よる》と嵐《あらし》はセットのようだ。

かわりに日《ひ》の出《で》たいまは、やたらと暑《あつ》い。

こんな過酷《かこく》な土地《とち》のどこに高値《たかね》で売《う》れる要素《ようそ》があるというのか。

ベジータ王《おう》を思《おも》い出《だ》し、ふつふつとわいてくる怒《いか》りを胸《むね》に、パラガスはブロリーを探《さが》した。

途中《とちゅう》、クレーターのようなくぼみをいくつも見《み》かけ、降《お》りてみることにする。

底《そこ》は丸《まる》く切《き》り取《と》られた草原《そうげん》のようで、地面《じめん》はやけにやわらかく、あたたかい。

「な、なんだ……？」

地面《じめん》にそっとふれてみるが、草《くさ》ではないようだ。

と、くぼみのふちに大《おお》ダニの群《む》れがあらわれた。

「!?」

ふたたび襲《おそ》いにきたのかと身構《みがま》える。

だが、大《おお》ダニたちはパラガスではなくその柔《やわ》らかい地面《じめん》へと針管《しんかん》をさしこみはじめた。

「なにかを飲《の》んでいる……？」

この地面《じめん》になにかあるのか、としゃがみかけたとき、とつぜん地面《じめん》が大《おお》きくゆれた。

「うおおっ！」

なんとか飛《と》びたったパラガスは、自分《じぶん》の立《た》っていた場所《ばしょ》が盛《も》りあがる様子《ようす》に目《め》を見開《みひら》いた。緑《みどり》の地面《じめん》からなにかがぐんぐん伸《の》びあがっていき、巨大《きょだい》な獣《けもの》の顔《かお》になる。

その獣《けもの》は、後《あと》ずさる大《おお》ダニをふちの地面《じめん》ごと、バクリバクリといきおいよくかじりついて飲《の》みこんでいく。よく見《み》れば、あちらこちらのクレーターで、同《おな》じことが起《お》こっていた。

「そうか……怪物《かいぶつ》たちは獣《けもの》の血《ち》を吸《す》って生《い》きている。獣《けもの》はその怪物《かいぶつ》

を食《く》って生《い》きている……」

おそらくそれが、この惑星《わくせい》の生命《せいめい》のすべてだ。

こんな気味《きみ》の悪《わる》いところから、一刻《いっこく》も早《はや》く息子《むすこ》を助《たす》けだしてやらなければ。


ブロリーを探《さが》して飛行《ひこう》して、どれくらいたったころだろう。

やっと見《み》つけたポッドは、すでにもぬけのカラだった。

まさかおそかったか、と一抹《いちまつ》の不安《ふあん》がよぎりながらも、パラガスはスカウトスコープであたりの気配《けはい》をくまなく探《さが》す。すると、近《ちか》くの洞窟《どうくつ》にわずかだが、生命反応《せいめいはんのう》があった。

「あっちだ！」

洞窟《どうくつ》の中《なか》は、どうやら大《おお》ダニの巣《す》のようだった。

急《きゅう》に襲《おそ》いかかられることを懸念《けねん》して、慎重《しんちょう》な速度《そくど》で空《そら》を飛《と》ぶ。

周囲《しゅうい》を見《み》まわしながら進《すす》んだパラガスは、大《おお》ダニの気配《けはい》がないことに気《き》がついた。

卵《たまご》のようなものがたくさんある。だが親《おや》はいないようだ。

「いや……」

足《あし》の残骸《ざんがい》を見《み》つけ、パラガスは地面《じめん》に降《お》りた。すぐそばには本体《ほんたい》の死体《したい》もある。

と、大《おお》ダニの切《き》りはなされた足《あし》がうごめきだした。

「……！」

まさかと注目《ちゅうもく》するパラガスの目《め》に、足《あし》の内側《うちがわ》から小《ちい》さな手《て》が伸《の》びたのが見《み》えた。

空洞《くうどう》になった足《あし》の先《さき》から出《で》てきたのは、大《おお》ダニの体液《たいえき》で汚《よご》れた口元《くちもと》を不器用《ぶきよう》にぬぐう息子《むすこ》、ブロリーの姿《すがた》だった。

「ブロリー!!」

怪物《かいぶつ》を襲《おそ》い、足《あし》を食《た》べ、この数日《すうじつ》を生《い》き抜《ぬ》いていたらしい。

「さすがだぞ！」

喜《よろこ》び飛《と》びだしたパラガスに捕《つか》まえられ、ブロリーが暴《あば》れる。

サイヤ人《じん》の子供《こども》らしい気性《きしょう》の荒《あら》さは健在《けんざい》だ。弱点《じゃくてん》のシッポをつかまれたブロリーは、ビクリと体《からだ》をゆらして失神《しっしん》した。

パラガスはそのあいだに息子《むすこ》をよく観察《かんさつ》した。

スカウトスコープの示《しめ》す戦闘力《せんとうりょく》は、子供《こども》にしては破格《はかく》の920という値《あたい》。けれどもこの程度《ていど》の数値《すうち》で、あの大《おお》ダニは倒《たお》せない。

（と、いうことは……）

着《き》せていたスーツが全体的《ぜんたいてき》に少《すこ》し伸《の》び、ぶかぶかになっていることに気《き》がついた。

「あの満月《まんげつ》を見《み》て、大猿《おおざる》になったんだろう」

そして、敵《てき》を殺《ころ》し、食《た》べ、生《い》きのこっていた。

それでこそ、我《わ》が息子《むすこ》。それでこそ、誇《ほこ》り高《たか》きサイヤ人《じん》だ。

満足《まんぞく》げに笑《わら》いながら、パラガスはブロリーを連《つ》れて宇宙船《うちゅうせん》へともどった。

ブロリーを奪還《だっかん》できたらこんな惑星《わくせい》に用《よう》はない。

適当《てきとう》な星《ほし》に脱出《だっしゅつ》する――

「なんだと……！」

けれども、肝心《かんじん》の動力《どうりょく》であるフローターが壊《こわ》れてビクともしなくなっていた。

嵐《あらし》に巻《ま》きこまれた着陸《ちゃくりく》の際《さい》、あたりどころが悪《わる》かったのか。

なんということだ。ここまできて、脱出《だっしゅつ》できなくなるだなんて。

「あきらめん……俺《おれ》はあきらめんぞ……！」

ギリギリと奥歯《おくば》をかみしめて、パラガスは憎々《にくにく》しげに心《こころ》にかたく誓《ちか》ったのだった。

其之《その》四《よん》
バーダックの予感《よかん》

パラガスがブロリーとともに惑星《わくせい》バンパに取《と》りのこされてから五年後《ねんご》。

同《おな》じ宇宙《うちゅう》の遠《とお》い場所《ばしょ》にある惑星《わくせい》ベジータでは、歴史的事件《れきしてきじけん》が起《お》ころうとしていた。

「……バーダックさん、バーダックさん……」

「なんだ？」

母星《ぼせい》からの帰還命令《きかんめいれい》を受《う》け、征服《せいふく》した小惑星《しょうわくせい》から惑星《わくせい》ベジータへとむかう宇宙船《うちゅうせん》の中《なか》。

サイヤ人戦闘員《じんせんとういん》であるバーダックは、となりから呼《よ》びかける仲間《なかま》の声《こえ》で目《め》が覚《さ》めた。

今回《こんかい》の遠征《えんせい》に同行《どうこう》していたリークだ。彼《かれ》は操縦桿《そうじゅうかん》をにぎりながら、なつかしそうに言《い》う。

「そろそろ惑星《わくせい》ベジータですよ。ひさしぶりですねぇ」

「……ああ……」

船内《せんない》の大《おお》きな窓《まど》に映《うつ》る惑星《わくせい》ベジータは、旅立《たびだ》った日《ひ》からなにも変《か》わっていないように見《み》える。

「どういうことですかね、サイヤ人《じん》はいそいで惑星《わくせい》ベジータに集《あつ》まれだなんて。フリーザの野郎《やろう》の命令《めいれい》らしいけど」

「スカウターを取《と》れ。聞《き》かれるぞ」

「あっ、そうか」

バーダックの指摘《してき》にあわててスカウターをはずす。

これを支給《しきゅう》したフリーザの真《しん》の目的《もくてき》は、こちらの会話《かいわ》をいつでも盗聴《とうちょう》できるようにする、ということなのでは、とバーダックは思《おも》っていた。

「見《み》てくださいよ。みんなも続々帰《ぞくぞくかえ》ってきてます」

スカウターをしまったリークが、窓《まど》の外《そと》に浮《う》かぶ仲間《なかま》の宇宙船《うちゅうせん》を見《み》て、うれしそうな声《こえ》を出《だ》す。

同《おな》じように外《そと》をながめていたバーダックは、ふと、フリーザの巨大《きょだい》な船《ふね》が、惑星《わくせい》ベジータを値《ね》踏《ぶ》みするように宇宙空間《うちゅうくうかん》に停泊《ていはく》していることに気《き》がついた。

「あそこを見《み》てみろ。フリーザの船《ふね》だ」

「まだ時間《じかん》があるのに、もう待機《たいき》しているのか」

フリーザの宇宙船《うちゅうせん》の下《した》を行《い》きながら、バーダックは真上《まうえ》の船《ふね》の中《なか》にいるだろうフリーザの姿《すがた》を思《おも》い浮《う》かべる。

「……おかしいと思《おも》わんか。話《はなし》があるなら、わざわざ星《ほし》に帰《かえ》さなくても無線《むせん》ですむ。新兵器《しんへいき》をわたしたいなら、いそいで集《あつ》める意味《いみ》もない……」

この帰還命令《きかんめいれい》がくだったときから、バーダックはみょうな違《い》和感《わかん》を覚《おぼ》えていたのだ。

「こいつはやっぱり、なにか裏《うら》がありそうだ……」

「えっ！　なんですか、裏《うら》って……」

考《かん》えこむバーダックに、リークが不安《ふあん》そうな顔《かお》をむけた。

惑星《わくせい》ベジータはもうすぐそこだ。

高度《こうど》をさげ、大気圏《たいきけん》に突入《とつにゅう》した宇宙船《うちゅうせん》の機体《きたい》が、赤《あか》く熱《ねつ》を帯《お》び、減速《げんそく》を始《はじ》める。

「もともと星《ほし》を征服《せいふく》して売《う》るのは、オレたち戦闘民族《せんとうみんぞく》サイヤ人《じん》のなりわい……それを、フリーザの父親《ちちおや》コルドは、強引《ごういん》に力《ちから》でねじふせ、配下《はいか》にしやがった……」

「昔《むかし》のことじゃないですか」

「いまはうまくいってると思《おも》うか？」

「そりゃあ、フリーザが好《す》きなサイヤ人《じん》なんていないけど……」

リークはわけがわからないとばかりに眉《まゆ》をよせる。

地上《ちじょう》が近《ちか》づき、船《ふね》の下層《かそう》からランディングギアが出現《しゅつげん》した。

宇宙港《うちゅうこう》の誘導《ゆうどう》にしたがい、帰還《きかん》した多《おお》くの船《ふね》のあいだをぬって停止《ていし》してから、バーダックはゆっくりと座席《ざせき》から立《た》ちあがる。

「フリーザも、サイヤ人《じん》をそう思《おも》っているはずだ」

「え？」

最初《さいしょ》は単純《たんじゅん》にサイヤ人《じん》の力《ちから》がほしかったのだろう。

けれどいまやフリーザ軍《ぐん》の軍事力拡大《ぐんじりょくかくだい》には目《め》をみはるものがある。

「フリーザ軍《ぐん》は大《おお》きくなった。うっとうしいサイヤ人《じん》がいなくても、なんとかなるだろう」

「ま、まさか……」

天井《てんじょう》のハッチをあけ、飛《と》んで出《で》るバーダックのうしろを追《お》いかけながら、リークもようやくその可能性《かのうせい》に行《い》きついたらしい。おびえたように声《こえ》をふるわせる。

「俺《おれ》たちを全滅《ぜんめつ》させるつもりだって言《い》うんですか!?」

バーダックは持《も》っていたバッグをいきおいをつけ振《ふ》りあげて、肩《かた》にかけた。

それは懸念《けねん》だ。

まだ、なんの確証《かくしょう》もない。

「もしかしたら、な」

だから、バーダックはわざとニヤリと笑《わら》いながら、振《ふ》りかえった。

リークは一瞬《いっしゅん》きょとんとまばたきをし、からかわれたのだと思《おも》ったのだろう。

「いっ、いやだなあ、バーダックさん！」

あせったように小走《こばし》りでバーダックの背中《せなか》を追《お》ってくる。

「よう、バーダック！　生《い》きて帰《かえ》ってきたか」

宇宙港《うちゅうこう》を歩《ある》いていると、なつかしい仲間《なかま》のひとりがバーダックに声《こえ》をかけてきた。

立《た》ち止《ど》まり、リークにしたのと同《おな》じ質問《しつもん》を投《な》げてみる。

「おい、この招集命令《しょうしゅうめいれい》の理由《りゆう》を知《し》っているか？」

「さあな。よほど大物《おおもの》の星《ほし》でも見《み》つけたんじゃないか？　俺《おれ》たち全員《ぜんいん》じゃないと征服《せいふく》できないようなさ」

ニヤリと笑《わら》った仲間《なかま》は、やはりなんの疑問《ぎもん》も抱《いだ》いていない。

戦闘民族《せんとうみんぞく》としての本能《ほんのう》で、他者《たしゃ》を征服《せいふく》できる喜《よろこ》びを感《かん》じているだけのようだ。

けれど、やはりそれだけのことで全員《ぜんいん》を集《あつ》める必要《ひつよう》があるだろうか……

「そういえば、フリーザ直属《ちょくぞく》の連中《れんちゅう》が超《スーパー》サイヤ人《じん》について聞《き》きまわってたな」

「超《スーパー》サイヤ人《じん》？　伝説《でんせつ》のか？」

考《かん》えながらも通《とお》りすぎかけたバーダックは、その言葉《ことば》に足《あし》を止《と》めた。

超《スーパー》サイヤ人《じん》とはサイヤ人《じん》を超《こ》えるサイヤ人《じん》。いわばおとぎ話《ばなし》のようなものだ。

けれど、バーダックの中《なか》で、パズルのピースがカチリとはまった。

「それだ……！」

フリーザは強《つよ》い力《ちから》を求《もと》めている。この宇宙《うちゅう》を支配《しはい》するためだ。

だが同時《どうじ》に、自分《じぶん》を超《こ》える可能性《かのうせい》は徹底的《てっていてき》に排除《はいじょ》しようとするヤツだ。

超《スーパー》サイヤ人《じん》の存在《そんざい》など、ウワサだけでも気《き》になって気《き》になってしかたないはずだ。

それを理由《りゆう》に、そう遠《とお》くない未来《みらい》で、フリーザはサイヤ人《じん》を絶滅《ぜつめつ》させるつもりなのだ。

バーダックは確信《かくしん》めいた思《おも》いを胸《むね》に、自宅《じたく》にいる妻《つま》と子供《こども》のもとへといそいだ。

「よう、帰《かえ》ったぞ、ギネ」

「バーダック！」

入《い》り口《ぐち》から直結《ちょっけつ》の台所《だいどころ》で、肉《にく》を切《き》りわけていたギネに声《こえ》をかける。

と、気《き》づいたギネが振《ふ》りかえり、バーダックのほうへと駆《か》けよってきた。

ひさしぶりの夫婦《ふうふ》の再会《さいかい》だ。

愛《あい》だ恋《こい》だというものを重要視《じゅうようし》はしないサイヤ人《じん》だが、ハグをすれば腰《こし》に巻《ま》きつけていたシッポが自然《しぜん》とほぐれるくらいに緊張《きんちょう》は取《と》れる。

「ラディッツは？」

「もう戦闘員《せんとういん》だよ。ベジータ王子《おうじ》と組《く》んで星《ほし》に行《い》ってる。まだ帰《かえ》ってきてないけどね」

姿《すがた》の見《み》えない長男《ちょうなん》のゆくえを答《こた》えたギネに、バーダックは少《すこ》しだけけわしい顔《かお》になった。

ベジータ王子《おうじ》と言《い》えば天才的《てんさいてき》な戦闘力《せんとうりょく》に比例《ひれい》して、プライドも高《たか》いと有名《ゆうめい》だ。

王子《おうじ》と組《く》める実力《じつりょく》は我《わ》が子《こ》として誇《ほこ》るべきところだが、素直《すなお》に喜《よろこ》べるかと言《い》われると少《すこ》し問題《もんだい》がある。

「やっかいなヤツと組《く》まされたな……。カカロットは？　まだ保育《ほいく》カプセルの中《なか》か？」

「ああ、もうそろそろ出《だ》すけどね。見《み》るかい？」

長男《ちょうなん》のラディッツとは反対《はんたい》に、次男《じなん》のカカロットは測定《そくてい》の結果《けっか》、潜在能力《せんざいのうりょく》が低《ひく》かったので、家《か》庭用《ていよう》の育児《いくじ》カプセルで育《そだ》てている。

足取《あしど》り軽《かる》く奥《おく》の部屋《へや》にバーダックを案内《あんない》するギネは、そんなことはとくになんとも思《おも》っていないようだ。

「小《ちい》さいな……」

カプセルの中《なか》ですやすやと眠《ねむ》るカカロットは、本当《ほんとう》に脆弱《ぜいじゃく》な子供《こども》そのものだ。

「成長《せいちょう》がおそいタイプみたいだ。でも、あんたにそっくりだろ。とくに独特《どくとく》な髪形《かみがた》がさ」

けれどギネはうれしそうに、カプセルの中《なか》の我《わ》が子《こ》に笑顔《えがお》をむけている。

言《い》われれば本当《ほんとう》にそうだ。カカロットは、自分《じぶん》とよく似《に》ていた。

兄《あに》とはちがい、たいした戦闘員《せんとういん》にもなれないだろう我《わ》が子《こ》を、バーダックはじっと見《み》つめる。

この子《こ》はそのうち飛《と》ばし子《ご》として、どこかの惑星《わくせい》に送《おく》られるはずだ。

しかし、このままではその前《まえ》に――……

「夜《よる》になったら、ポッドを盗《ぬす》んでくる。こいつを星《ほし》に飛《と》ばしてやるんだ」

けわしい顔《かお》をしたバーダックの決断《けつだん》に、ギネが驚《おどろ》いたように振《ふ》りかえった。

「えっ？　じょうだんだろ」

「いや。本気《ほんき》だ」

「なんでいま、わざわざそんなことするんだよ！　まだ言葉《ことば》も教《おし》えてないのに！」

「どうせカカロットの潜在能力《せんざいのうりょく》じゃ飛《と》ばされる運命《うんめい》だ。だったら、少《すこ》しでもマシな星《ほし》に飛《と》ばしてやる」

「でも、まだ早《はや》すぎるよ！」

ギネは抗議《こうぎ》をするように、バーダックの前《まえ》に出《で》る。

母親《ははおや》としては信《しん》じられない行為《こうい》だからだ。その気持《きも》ちは、バーダックにもわからないでもない。

それでも一刻《いっこく》の猶予《ゆうよ》もないのだと、バーダックの本能《ほんのう》が告《つ》げている。

「時間《じかん》がないかもしれないんだ……」

「時間《じかん》が？」

カプセルの中《なか》の我《わ》が子《こ》を見《み》つめながら、バーダックは感《かん》じている懸念《けねん》をギネに伝《つた》えた。

フリーザが伝説《でんせつ》の超《スーパー》サイヤ人《じん》を探《さが》していたこと。

ウワサにすぎない存在《そんざい》を、過剰《かじょう》なほどにおそれていること。

今回《こんかい》の招集命令《しょうしゅうめいれい》が、なにかよからぬたくらみにちがいないと思《おも》っている、ということを。

「オレには、死《し》の予感《よかん》がするんだ……」

そんなことを、じょうだんで言《い》うような男《おとこ》でないことは、ギネが一番《いちばん》よく知《し》っている。

だからギネは、それ以上強《いじょうつよ》く止《と》めることができなかった。


それでも、実際《じっさい》あたりが闇《やみ》に静《しず》まりかえり、宣言《せんげん》どおりポッドを盗《ぬす》みだしてきたバーダックにならんで荒野《こうや》をジャンプしていると、そこまでしなくてもいいんじゃないかという思《おも》いが込《こ》みあげてくる。

「やっぱり、よそうよ、こんなこと……」

「心配《しんぱい》するな。オレのかんちがいだったら、すぐに助《たす》けにいってやる」

バーダックにかつがれたポッドの中《なか》から、カカロットが暴《あば》れている音《おと》がする。

それがまるで、はなれたくないと言《い》っている気《き》がしてくるのは、母親《ははおや》だからだろうか。

「だったらさあ、三人《にん》でどこかに逃《に》げようよ」

ポッドを盗《ぬす》みだした場所《ばしょ》から遠《とお》くはなれ、ようやく少《すこ》しだけ落《お》ち着《つ》いて歩《ある》きながら、ギネは言《い》った。

「だめだ。オレたちはスカウターですぐ見《み》つかってしまう」

正論《せいろん》だ。

二人《ふたり》の戦闘能力《せんとうのうりょく》はサイヤ人《じん》の中《なか》でも高《たか》いほうだ。かくれて逃《に》げるには不向《ふむ》きすぎる。

カカロットが力強《ちからづよ》くポッドをたたく音《おと》を聞《き》きながら、ギネは夜道《よみち》をしょんぼりとした顔《かお》でついていく。

「でも……なんでそこまでして？」

歩《あゆ》みを止《と》めないバーダックは、どこまでも本気《ほんき》だ。

ギネは少《すこ》しだけ気分《きぶん》を変《か》えようと、明《あか》るい表情《ひょうじょう》を作《つく》り、バーダックの背中《せなか》に話《はな》しかけた。

「男《おとこ》が子供《こども》の心配《しんぱい》をするなんて、サイヤ人《じん》らしくないよ」

「いつも闘《たたか》いの中《なか》にいて、気《き》まぐれでなにかを救《すく》いたくなったのかもな……とくに、下級戦士《かきゅうせんし》と

判定《はんてい》された我《わ》が子《こ》を……」

どこか自嘲《じちょう》気味《ぎみ》に答《こた》えたバーダックに、やはりギネはなにも言《い》えなかった。

「ふぎゃ、ふぎゃあ、ふぎゃあ！」

カカロットの大《おお》きな泣《な》き声《ごえ》が、二人《ふたり》の沈黙《ちんもく》をまぎらわしているかのようだ。

父親《ちちおや》としての愛情《あいじょう》なのか、それとも種《しゅ》をのこすという動物《どうぶつ》としての本能《ほんのう》なのか。

わからないが、バーダックはいま、本当《ほんとう》にカカロットを助《たす》けるために動《うご》いている。

月《つき》と星《ほし》の明《あ》かりだけが届《とど》く荒野《こうや》の一角《いっかく》で、バーダックはポッドをおろした。

見晴《みは》らしもよく、飛《と》ばすのに邪魔《じゃま》になるようなものはなにもない。

「ふぎゃ……、う……？」

地面《じめん》におろされた振動《しんどう》で、カカロットの泣《な》き声《ごえ》が止《や》んだ。涙目《なみだめ》で不思議《ふしぎ》そうに顔《かお》をあげたポッドの中《なか》のカカロットを、バーダックがまっすぐに見《み》つめる。

「地球《ちきゅう》という遠《とお》い星《ほし》をプログラムしておいた。技術力《ぎじゅつりょく》も戦闘《せんとう》レベルも低《ひく》い人間《にんげん》のいる星《ほし》だ。おまえでも生《い》きていけると思《おも》う。それにたいした価値《かち》がないので、フリーザ軍《ぐん》にねらわれる可能性《かのうせい》も低《ひく》い」

言葉《ことば》もまだ知《し》らない我《わ》が子《こ》だ。

理解《りかい》できないとわかっているだろうに、真剣《しんけん》な顔《かお》でバーダックが説明《せつめい》する。

カカロットは不穏《ふおん》ななにかを察《さっ》したかのように、まだおぼつかない動《うご》きで前《まえ》に出《で》た。

小《ちい》さな手《て》のひらを、窓《まど》につける。

「バーダックの考《かんが》えすぎだったら、すぐに迎《むか》えに行《い》くからね！」

たまらずギネも、バーダックの横《よこ》からポッドをのぞきこむ。

「いいか、ぜったい生《い》きのびるんだぞ！」

きょとんとした顔《かお》で二人《ふたり》を見《み》つめるカカロットをはげますように、バーダックが笑顔《えがお》を見《み》せる。

ギネも、さびしさを押《お》しころして、ポッドの中《なか》へと笑顔《えがお》をむけた。

「また会《あ》おうね」

きっと会《あ》える。だいじょうぶ。きっと。

窓《まど》についたカカロットの小《ちい》さな手《て》に、バーダックが大《おお》きな手《て》をさしだした。

「じゃあな」

窓《まど》ごしにかさなった手《て》のひらを、つかめないとわかっているバーダックの指先《ゆびさき》に力《ちから》が入《はい》る――

と、同時《どうじ》に、ポッドがふわりと浮《う》きあがった。二人《ふたり》の手《て》のひらが、無情《むじょう》にもはなれていく。

「カカロットオオ――――！」

夜空《よぞら》へとぐんぐんあがっていくポッドを見《み》あげていたギネが、たまらず走《はし》りだし全身《ぜんしん》で叫《さけ》ぶ。その声《こえ》をまとうように上昇《じょうしょう》して、カカロットを乗《の》せたポッドは、二度《にど》ともどることのない惑星《わくせい》ベジータをあとにしたのだった。

それからのことは、まさにバーダックの懸念《けねん》したとおりになる。

戦闘民族《せんとうみんぞく》サイヤ人《じん》の反骨精神《はんこつせいしん》と、超《スーパー》サイヤ人《じん》の伝説《でんせつ》をうとましく思《おも》っていたフリーザは、かねて思《おも》い描《えが》いていたとおりに、惑星《わくせい》ベジータを滅《ほろ》ぼしたのだ。

たくらみに気《き》づいたバーダックが抗戦《こうせん》するも、フリーザの圧倒的《あっとうてき》な力《ちから》の前《まえ》には無力《むりょく》だった。

フリーザのはなった巨大《きょだい》な灼熱《しゃくねつ》のエネルギー弾《だん》は、バーダックも、ギネも、それになにも知《し》らないほとんどすべてのサイヤ人《じん》をも飲《の》みこみ、惑星《わくせい》ごと、宇宙《うちゅう》から消《け》し去《さ》った。


たまたま母星《ぼせい》をはなれていたサイヤ人《じん》だけが、わずかに生《い》きのこることとなった。

その中《なか》には、まだ子供《こども》のサイヤ人《じん》もいた。遠征《えんせい》に出《で》ていた惑星《わくせい》で、帰還命令《きかんめいれい》を無視《むし》していたベジータ王子《おうじ》。惑星《わくせい》バンパで父《ちち》と暮《く》らすブロリー。地球《ちきゅう》に飛《と》ばし子《ご》にされたカカロット。

三人《にん》はまったくちがう環境《かんきょう》で、それぞれにたくましく育《そだ》っていく。

そして、二十数年後《にじゅうすうねんご》……フリーザの懸念《けねん》もまた、現実《げんじつ》のものとなる。

生《い》きのこったサイヤ人《じん》たちのひとりが怖《おそ》れていた超《スーパー》サイヤ人《じん》となり、フリーザはナメック星《せい》で屈辱的《くつじょくてき》な敗北《はいぼく》を味《あじ》わわされることになったのだった。

其之《その》五《ご》　初《はじ》めての友達《ともだち》

話《はなし》は現代《げんだい》にもどる。

惑星《わくせい》バンパから戦闘員《せんとういん》のサイヤ人《じん》を救《すく》いだしたレモとチライは、宇宙船《うちゅうせん》の中《なか》にある食堂《しょくどう》をかねた休憩室《きゅうけいしつ》で談笑《だんしょう》していた。

もらった報奨金《ほうしょうきん》はたんまりある。ひさしぶりに、ゆかいな気分《きぶん》だった。

上機嫌《じょうきげん》で話《はな》していると、ブロリーとパラガスが入《はい》ってきた。

「よう！　さっぱりしたじゃないか！　こっちで食《く》えよ！」

手《て》をあげたチライに二人《ふたり》が気《き》づく。

シャワーを浴《あ》びてきたようで、二人《ふたり》ともずいぶんこざっぱりして見《み》える。

パラガスは、フリーザ軍《ぐん》の戦闘服《せんとうふく》に着替《きが》えていた。

が、ブロリーのほうは、インナースーツにブーツ、それに腰《こし》の毛皮《けがわ》はそのままだ。

「ブロリー、あんた戦闘服《せんとうふく》は？」

チライが聞《き》くと、ブロリーはすぐそばにきて、立《た》ったままムウッと顔《かお》をしかめた。

「あれは……動《うご》きにくい」

「着《き》ちゃうとそうでもないんだぜ。まあ、好《す》きにすりゃいいけどな」

チライは自分《じぶん》の戦闘服《せんとうふく》を引《ひ》っぱって見《み》せた。

ブロリーはあまり会話《かいわ》が得意《とくい》ではないようなので、見《み》せるのが一番手《いちばんて》っ取《と》り早《ばや》いかと思《おも》ったからだ。不思議《ふしぎ》そうに首《くび》をひねるブロリーに無理強《むりじ》いはせず、チライはなんの気《き》なしに腰《こし》の毛皮《けがわ》に手《て》を伸《の》ばした。

「でも腰《こし》の毛皮《けがわ》はもう捨《す》てちゃえよ。汚《よご》れてるしクサイよ」

その瞬間《しゅんかん》だ。

「だめだ!!」

はじかれたように、ブロリーがいままで聞《き》いたこともない

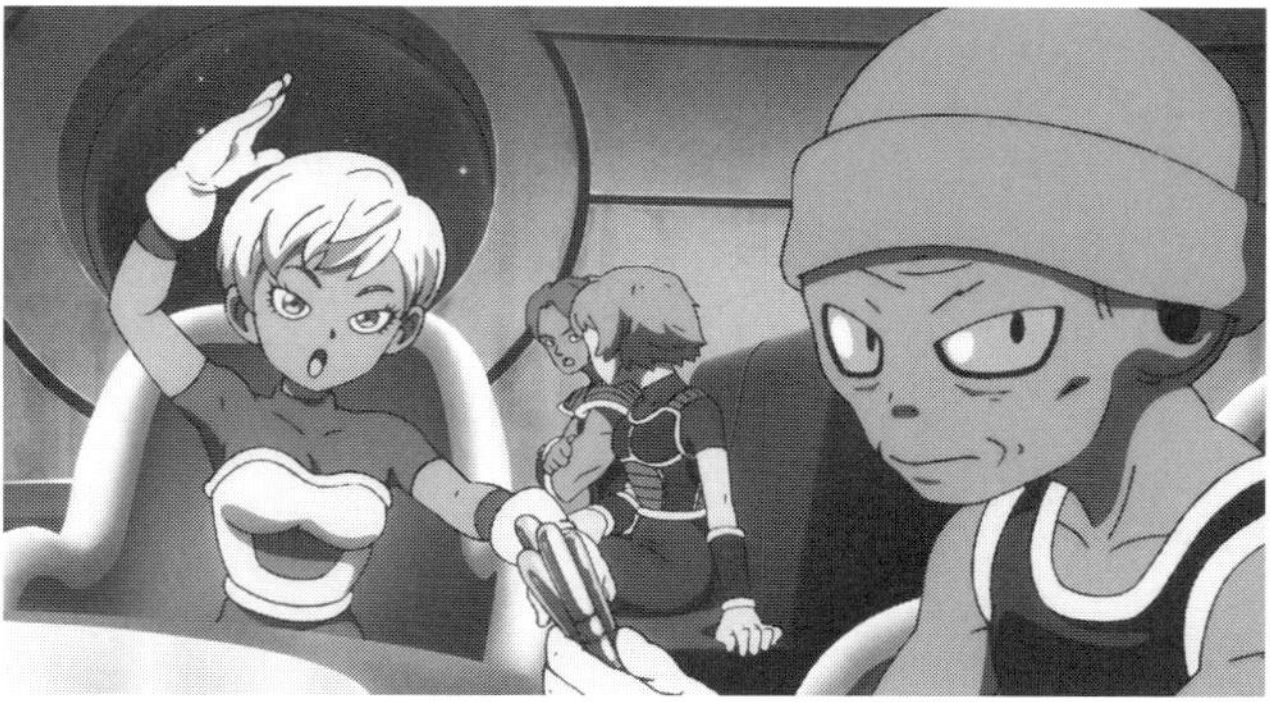

ような大声《おおごえ》を出《だ》した。

その場《ば》にいた全員《ぜんいん》の注目《ちゅうもく》を浴《あ》びるほどの大声《おおごえ》だ。

チライももちろん驚《おどろ》いたが、それよりもなぜか急《きゅう》にしょんぼりしてしまったブロリーの態度《たいど》が心配《しんぱい》になった。

「そ、そうか。大事《だいじ》なもんだったんだな……」

捨《す》てろだなんて、悪《わる》いことを言《い》ってしまった。

毛皮《けがわ》にそっとふれたブロリーが、なにかをなつかしむような悲《かな》しい目《め》になる。

「……これは、オレの……」

「ブロリー、食事《しょくじ》にきたんだ。話《はなし》をしにきたんじゃない」

それまでだまっていたパラガスが、言《い》いかけたブロリーをぴしゃりと止《と》める。

えっ、と驚《おどろ》くチライたちから顔《かお》をそむけ、ブロリーはうつむいてしまった。

いまの会話《かいわ》のいったいなにが悪《わる》いというのか。

反論《はんろん》もせず、おとなしくしたがうブロリーは、それでもどこか落《お》ちこんで見《み》える。

チライはなにも言《い》わないブロリーにかわって、テーブルの上《うえ》に少《すこ》しだけ身《み》を乗《の》りだした。

「あんたさあ。いいじゃないかこれぐらい」

「よけいな口《くち》だしはしないでくれ」

「ああン？」

なんだその言《い》い方《かた》は。

「まあまあ――」

つい凄《すご》みをきかせたチライに、レモがあわててあいだに入《はい》る。

「おいっ。おまえ、新入《しんい》りか？」

そのときだ。いままでのやりとりをまるで無視《むし》して、男《おとこ》がチライに声《こえ》をかけてきた。

がっしりとしたガタイのよさを見《み》せつけるように、悠々《ゆうゆう》と歩《ある》く男《おとこ》は、自分《じぶん》に自信《じしん》があるらしい。

「こんなシケた連中《れんちゅう》といても楽《たの》しくないだろ。今回《こんかい》の作戦《さくせん》で、この船《ふね》に乗《の》ってるまともな戦闘員《せんとういん》は俺《おれ》だけなんだぜ？」

男《おとこ》はレモだけでなく、パラガスとブロリーまで小《こ》バカにしたように鼻《はな》で笑《わら》い、チライへニヤけた顔《かお》をむける。

「ちっ」

まともな戦闘員《せんとういん》が、そんな態度《たいど》をするものか。

見《み》たところ酒《さけ》も入《はい》っているようだし、こういう手《て》あいは相手《あいて》にしないのが一番《いちばん》だ。

そう思《おも》い、聞《き》こえないフリで顔《かお》をそむけたチライの肩《かた》を、男《おとこ》の手《て》ががしっとつかんだ。

「ほら、こいよ」

「はなせよ。イヤだって言《い》ってんだろ！」

「まあまあ、ほら、今日《きょう》のところは俺《おれ》が一杯《いっぱい》おごるから――」

見《み》かねたレモが、あいだに入《はい》ろうとして、

「うるせえ、ジジイ！」

ののしりと同時《どうじ》につき飛《と》ばされて、床《ゆか》に転《ころ》がる。

「！」

「やめろ、ブロリー」

むっとした顔《かお》をかくそうともせずブロリーがその場《ば》に立《た》ちあがり、パラガスが止《と》める。その声《こえ》で、ブロリーはピクリと動《うご》きを止《と》めた。が、男《おとこ》はあおるようにブロリーの前《まえ》に歩《あゆ》みよった。

「なんだ？　文句《もんく》でもあるのか？」

「ある」

「ん、だとぉ!!」

即答《そくとう》されてブチ切《ぎ》れた男《おとこ》が、いきなり殴《なぐ》りかかってきた！

重《おも》そうな拳《こぶし》がブロリーの胸板《むないた》にぶちあたる。

だが、ブロリーはビクともしなかった。

「な……」

驚《おどろ》きに後《あと》ずさりかけた男《おとこ》が、それでも拳《こぶし》を振《ふ》りあげる。

「クソ！　クソッ！」

連打《れんだ》を胸《むね》にいくら浴《あ》びても、ブロリーの表情《ひょうじょう》は変《か》わらない。

それどころか、パシッと男《おとこ》のパンチを受《う》けると、反対《はんたい》の手《て》で喉元《のどもと》をつかみ持《も》ちあげた。

「がぁ……っ」

「ブロリー！」

立《た》ちあがって名前《なまえ》を呼《よ》んだパラガスを無視《むし》して、ブロリーはさらに男《おとこ》を高《たか》く持《も》ちあげる。

「うがあぁあっ！」

床《ゆか》からはなれた男《おとこ》の足《あし》が苦《くる》しげにバタバタともがいても、ブロリーは手《て》をゆるめなかった。感《かん》情《じょう》が高《たか》ぶり、怒《いか》りに我《われ》を忘《わす》れているようにすら見《み》える。

いままでのおだやかさがウソのような態度《たいど》に、レモとチライは、ただただ呆然《ぼうぜん》としてしまった。

このままでは、男《おとこ》は死《し》んでしまうかもしれない。

「ちっ」

パラガスは小《ちい》さな舌打《したう》ちをすると、素早《すばや》く腰《こし》のポシェットに手《て》を伸《の》ばした。中《なか》からリモコンを取《と》りだし、スイッチを押《お》す。すると、ブロリーの首輪《くびわ》から、激《はげ》しい電撃《でんげき》が走《はし》りだした。

「があぁぁぁっ!!!」

衝撃《しょうげき》で、ブロリーの手《て》が男《おとこ》からはなれる。

「うぐあっ！　ああああああああ!!!」

男《おとこ》が逃《に》げてもなお電流《でんりゅう》は止《と》まらず、ブロリーの口《くち》から絶叫《ぜっきょう》がほとばしった。

パラガスはスイッチを切《き》らずに、苦《くる》しむブロリーを見《み》おろしている。

ようやくスイッチが切《き》られたころには、ブロリーはゼエハアと激《はげ》しく肩《かた》で息《いき》をしながら、がくりと床《ゆか》にひざをつくほどだった。

「だいじょうぶか？　あんた！　やりすぎだよ！　あんなことするなんてさ!!」

チライはパラガスに猛然《もうぜん》とつめよった。

小柄《こがら》なチライに責《せ》められたところで痛《いた》くもかゆくもないのだろう。パラガスは、ふん、と鼻《はな》で笑《わら》う。

「止《と》めなければ、殺《ころ》していたかもしれんだろ」

そうかもしれない。でもブロリーは自分《じぶん》を助《たす》けようとしてくれただけだ。止《と》めるにしたって、ほかの方法《ほうほう》があるだろう。痛《いた》みと恐怖《きょうふ》で支配《しはい》しようだなんて、ろくでもない親《おや》だということがよくわかる。

「あんた、どんな育《そだ》て方《かた》をしたんだい？」

「ふん。恩人《おんじん》ではあるが、話《はなし》はあわないようだ」

人《ひと》を小《こ》バカにするその態度《たいど》もいけすかない。

こうなったら目《め》にもの見《み》せてやる。

「今後《こんご》、息子《むすこ》には近《ちか》づかないでくれ」

「……チッ」

チライはわざとくやしそうに舌打《したう》ちをして、うしろにさがる演技《えんぎ》をした。

その動《うご》きにあわせて素早《すばや》くポシェットに手《て》をつっこみ、中《なか》のリモコンをサッとうばう。

チライを小娘《こむすめ》と見下《みくだ》しているパラガスは、まるで気《き》づいていないようだ。

内心《ないしん》で笑《わら》いをこらえていると、音《おと》もなくベリブルが休憩室《きゅうけいしつ》へと入《はい》ってきた。

「——パラガスさん、フリーザ様《さま》がお呼《よ》びですよ」

「フリーザ様《さま》が！　はい、すぐ行《い》きます！　ブロリー！」

「パラガスさんだけでけっこう……」

「え？　そうですか？　ブロリー、すぐにくる。待《ま》っていろ」

薄《うす》ら笑《わら》いを浮《う》かべていたパラガスは表情《ひょうじょう》をあらため、すぐにブロリーへと偉《えら》そうな顔《かお》で命令《めいれい》した。上《うえ》に媚《こ》びるのにもほどがある。

いっそ腰《こし》に巻《ま》いたシッポでも振《ふ》るんじゃないかと憎々《にくにく》しげに見送《みおく》ると、レモがあきれたように首《くび》を振《ふ》った。

「俺《おれ》の死《し》んだクソオヤジだって、あいつよりましかもな」

まったくだ。

けれどそんな最低《さいてい》オヤジに、チライは一矢報《いっしむく》いてやったのだ。

「へへへ……」

「どうした？　チライ――……って、パクッたのか！」

手元《てもと》にかくし持《も》っていたリモコンを見《み》せると、驚《おどろ》くレモの声《こえ》もうれしそうだ。

レモのうしろからのぞきこんできたブロリーにもわかるようにリモコンを見《み》せ、チライはそれを床《ゆか》に放《ほう》り投《な》げる。

「こんなの、こうしてやるよ」

そうして思《おも》いきり踏《ふ》みこんだチライの足《あし》の下《した》で、リモコンはぐしゃりと簡単《かんたん》に壊《こわ》れたのだった。


うるさいオヤジの目《め》が届《とど》かなくなったブロリーを、レモたちは自分《じぶん》たちの居室《きょしつ》へと案内《あんない》した。

とは言《い》っても、非戦闘員《ひせんとういん》の部屋《へや》は個室《こしつ》ではない。蜂《はち》の巣《す》のようなベッドルームは大人数用《おおにんずうよう》で、プライバシーなどあってないようなものだ。

が、めんどうな戦闘員《せんとういん》を遠《とお》ざけるにはもってこいの場《ば》所《しょ》でもある。

「ブロリー、さっきはサンキュー」

二人《ふたり》が買《か》ってやった大量《たいりょう》のスナックバーを、どっかりと床《ゆか》にあぐらをかいて食《た》べているブロリーに、チライはオーケーサインを作《つく》って見《み》せる。

スナックバーに夢中《むちゅう》のブロリーはこたえず、今度《こんど》は水《みず》の入《はい》った金属製《きんぞくせい》の容器《ようき》を手《て》にした。

重《おも》さと中《なか》でゆれる様子《ようす》から飲《の》み物《もの》だと判断《はんだん》して、そのまま上《うえ》に持《も》ちあげる。が、ふたをつけたまま上《うわ》むいた口《くち》元《もと》にむけて何度《なんど》振《ふ》っても、一滴《いってき》たりとも出《で》てこない。

「うっうー！」

「なんだ。水《みず》が飲《の》みたいのか？　貸《か》してみろ。ほれ」

察《さっ》したレモが、容器《ようき》のふたをあけてやる。わたされたブロリーは、少《すこ》しだけ警戒《けいかい》しながら口《くち》にふくみ、驚《おどろ》いたように目《め》を見開《みひら》いた。

「！　これはなんだ」

「え？　ただの水《みず》だよ。……あんた、水《みず》も飲《の》んだことなかったのか」

本気《ほんき》で感動《かんどう》している様子《ようす》で水《みず》を見《み》つめたブロリーは、それからガブガブと一気《いっき》に飲《の》み干《ほ》してしまった。まるで初《はじ》めてのものに我慢《がまん》がきかない子供《こども》のようだ。

「はあ……うまかった」

ただの水《みず》でここまでうれしそうにできるヤツは、見《み》たこともない。

満足《まんぞく》げにほほえんだブロリーは、ふと、腰《こし》に巻《ま》きつけていた緑《みどり》の毛皮《けがわ》をやさしくなでた。

「……これは、バアの耳《みみ》だ」

「「え？」」

いきなりの話題転換《わだいてんかん》だが、毛皮《けがわ》のことだとはすぐにわかった。

話《はなし》をするなと命《めい》じられても、きっとずっとだれかに話《はな》したかったのだろう。

だまって続《つづ》きをうながすと、ブロリーはとつとつと語《かた》りはじめた。

「オレはバアと仲《なか》がよかったんだ。バアは大《おお》きな大《おお》きな、この船《ふね》より大《おお》きなケダモノだ。バアと鳴《な》くから、オレはそう呼《よ》んだ」

惑星《わくせい》バンパで飼《か》っていたペットかなにかだろうか。

腰《こし》のそれが耳《みみ》だというのだから、そうとう大《おお》きな生《い》き物《もの》にちがいない。

全身《ぜんしん》を緑色《みどりいろ》の毛《け》でおおわれた、大《おお》きなクマのようなものを想像《そうぞう》してみる。

ブロリーはバアを思《おも》い出《だ》しているのか、間《ま》を置《お》き、少《すこ》しだけうつむいて話《はなし》を続《つづ》ける。

「バアはおそろしいが、毎日《まいにち》毎日《まいにち》、バアの攻撃《こうげき》をよけるトレーニングをしていたら、仲《なか》がよくなった。……とても仲《なか》よくなった」

「初《はじ》めての友達《ともだち》ってことか……」

おだやかな表情《ひょうじょう》で語《かた》るブロリーに、レモがつぶやく。

なつかしさの中《なか》に親《した》しみを込《こ》めた話《はな》し方《かた》だ。

「……でも、お父《とう》さんは怒《おこ》った。バアと仲《なか》がよくなるとトレーニングじゃない。それで――」

おだやかだった表情《ひょうじょう》が、けわしくなる。

「お父《とう》さんは銃《じゅう》でバアの耳《みみ》を撃《う》って、バアを怒《おこ》らせた。二度《にど》とバアは、オレと仲《なか》よくなってくれなかった」

「それで、耳《みみ》がちぎれたのか……」

とんでもないオヤジだとは思《おも》っていたが、そんな昔《むかし》から最低《さいてい》なことをやっていたようだ。

ブロリーは切《せつ》なそうな表情《ひょうじょう》で、バアの耳《みみ》をなでる。

「だからオレは……バアの耳《みみ》といっしょにいることにした」

思《おも》い出《で》のたくさんつまった大切《たいせつ》なものだったのだ。

話《はな》し終《お》えて、また少《すこ》しだけうつむいてしまったブロリーの横《よこ》に、チライはベッドの上《うえ》からぴょんと飛《と》び降《お》りてしゃがみこんだ。

「いっぱいしゃべったね、ブロリー」

「ここでそんなピュアな話《はなし》を聞《き》いたのは初《はじ》めてだ……おまえ、マジで純粋《じゅんすい》なんだな」

レモもやさしい口調《くちょう》で話《はな》しかける。

いまの話《はなし》を聞《き》いて、チライは思《おも》ったことがあった。

ブロリーが不安《ふあん》にならないように、できるだけやさしい声《こえ》を心《こころ》がけながら、チライはうつむくブロリーをのぞきこむ。

「……もしかして、ホントは闘《たたか》うの好《す》きじゃないんだろ……？」

「なまじ闘《たたか》いの才能《さいのう》がすごかったから、オヤジさんに無理矢理《むりやり》トレーニングされちまったんだな」

同《おな》じことを、レモも感《かん》じていたらしい。

「……」

ちらりと上目《うわめ》づかいで二人《ふたり》を見《み》たブロリーは、答《こた》えに迷《まよ》っているように見《み》える。

ここにパラガスはいないのに、それでも縛《しば》られているようなブロリーがかわいそうだ。

チライは、だんだん腹《はら》が立《た》ってきた。

ムカッとした気分《きぶん》のまま立《た》ちあがると、つられるようにブロリーも顔《かお》をあげる。

「あんたの父親《ちちおや》さあ、あんたをただの強力《きょうりょく》な武器《ぶき》としか思《おも》ってないんじゃないか？　復讐《ふくしゅう》と出世《しゅっせ》のためのさ」

「だろうな。おまえさんのオヤジは最低《さいてい》だよ。あんなヤツの言《い》うこと、聞《き》く必要《ひつよう》ないぞ」

たたみかけるように同意《どうい》したレモに、チライも大《おお》きくうなずく。

けれどブロリーはむずかしい顔《かお》をして、なにやら考《かんが》えこんでいるようだ。

それから少《すこ》しして、上《うえ》をむいたブロリーは、二人《ふたり》にキリッとした表情《ひょうじょう》を見《み》せた。

「お父《とう》さんのことを悪《わる》く言《い》うのは、いけない」

「「……」」

そう言《い》うように、ずっとしつけられてきたのだろう。

決《き》まり文句《もんく》を真顔《まがお》で告《つ》げるブロリーが、二人《ふたり》には気《き》の毒《どく》に思《おも》えたのだった。

ブロリーがレモやチライとバアの思《おも》い出話《でばなし》をしていたころ。

フリーザの居室《きょしつ》に呼《よ》ばれたパラガスは、にっくきベジータ王《おう》の忘《わす》れ形見《がたみ》、ベジータ王子《おうじ》への復《ふく》讐計画《しゅうけいかく》について、説明《せつめい》を受《う》けていた。

「これから行《い》く地球《ちきゅう》という星《ほし》に、ベジータと、もうひとりのサイヤ人《じん》がいます」

惑星《わくせい》バンパほどではないが、かなり辺境《へんきょう》の星《ほし》らしい。

そんな星《ほし》に、誇《ほこ》り高《たか》きサイヤ人《じん》がまだ二人《ふたり》もいることに、パラガスは少《すこ》し驚《おどろ》く。

「ブロリーさんのパワーを見《み》せていただきますよ」

「ブロリーの強《つよ》さは生《う》まれながらの超天才《ちょうてんさい》。長年《ながねん》のうらみを晴《は》らしてみせます……！」

フリーザから期待《きたい》の言葉《ことば》をかけられて、ビシッと頭《あたま》をさげて決意《けつい》を伝《つた》える。

だが、パラガスの復讐《ふくしゅう》自体《じたい》にはまるで興味《きょうみ》のないフリーザは、一瞥《いちべつ》もくれず、窓《まど》の外《そと》へと視線《しせん》を動《うご》かした。

「ところで、ベジータはお好《す》きにしてもかまいませんが、もうひとりの孫悟空《そんごくう》というサイヤ人《じん》のトドメはわたしにまかせてくださいね?」

パラガスにとってのベジータは、フリーザにとっての孫悟空《そんごくう》だ。

一見《いっけん》のんきで下等《かとう》な山《やま》ザルにしか見《み》えない悟空《ごくう》に、フリーザは何度《なんど》も敗《やぶ》れてきた。

思《おも》い出《だ》すだけで、腹立《はらだ》たしい。

「……孫悟空《そんごくう》を殺《ころ》すこと、それがわたしの永《なが》いあいだの夢《ゆめ》ですから」

おさえられない殺気《さっき》のこもった声《こえ》で、静《しず》かに言《い》ったフリーザに、パラガスはふるえあがった。

「し、承知《しょうち》いたしました……!」

そう言《い》うだけで精《せい》いっぱいだ。

ごくりと息《いき》をのみ、うしろに一歩《いっぽ》さがりながら、深々《ふかぶか》と頭《あたま》をさげる。

重々《おもおも》しい雰囲気《ふんいき》が充満《じゅうまん》する室内《しつない》を変《か》えたのは、あわてて入《はい》ってきたキコノの報告《ほうこく》だ。

「フリーザ様《さま》! ドラゴンボールが七個《こ》そろったようです!」

「おお、それはすばらしい！」

いままでの空気《くうき》がまるでウソのように、フリーザは満面《まんめん》の笑《え》みで明《あか》るい声《こえ》を出《だ》した。

ドラゴンボールというものがなにかはよくわからないが、少《すこ》しだけ息《いき》をつけたパラガスを、もうフリーザは見《み》ていない。

「では、さっそく地球《ちきゅう》に」

「ははっ！」

うれしそうに命《めい》じたフリーザにキコノが答《こた》え、宇宙船《うちゅうせん》は推進力《すいしんりょく》を加速《かそく》させた。

超光速《ちょうこうそく》でむかう先《さき》には、悟空《ごくう》とベジータたちのいる星《ほし》、――地球《ちきゅう》がある。


「あそこ！　フリーザ軍《ぐん》よ！」

フリーザ軍《ぐん》からドラゴンボールを取《と》りかえすため、悟空《ごくう》たちが南《みなみ》の島《しま》を出発《しゅっぱつ》して数時間《すうじかん》。

上空《じょうくう》から氷《こおり》の大陸《たいりく》を見《み》おろしていたブルマが、フリーザ軍《ぐん》の兵士《へいし》を見《み》つけ、指《ゆび》をさす。

トランクスからもらった映像《えいぞう》どおりの、二人組《ふたりぐみ》の男《おとこ》のようだ。

その手《て》にはドラゴンレーダーと、ドラゴンボールが見《み》てとれる。

「ちっ。もう最後《さいご》の一個《いっこ》を見《み》つけやがったか……」

操縦席《そうじゅうせき》に座《すわ》るブルマの横《よこ》から犯人《はんにん》を見《み》て、ベジータが舌打《したう》ちをした。

犯人《はんにん》たちも、ブルマの操縦《そうじゅう》する小型飛行機《こがたひこうき》を見《み》つけ、たがいにわたわたと顔《かお》を見《み》あわせる。

「あの飛行機《ひこうき》、やばいんじゃねえか？　キコノ様《さま》の言《い》っていたサイヤ人《じん》じゃないだろうな!?」

地球《ちきゅう》にはとんでもなく強《つよ》いサイヤ人《じん》が二人《ふたり》いるから、ぜったい見《み》つからないように、とさんざん言《い》われてここまできたのだ。彼《かれ》らがそうなら勝《か》ち目《め》はない。

雪《ゆき》でおおわれた氷《こおり》の大地《だいち》に着陸《ちゃくりく》する様子《ようす》を見守《みまも》ることしかできない二人《ふたり》の前《まえ》で、小型飛行機《こがたひこうき》が動《うご》きを止《と》めた。

ゆっくりととびらが開《ひら》き、中《なか》から数人《すうにん》降《お》りてくる。

出《で》てきたのは防寒着《ぼうかんぎ》をしっかりと着《き》こんだ男《おとこ》が二人《ふたり》と女《おんな》がひとり。

それにみょうに薄着《うすぎ》の背《せ》の高《たか》い男《おとこ》の合計《ごうけい》四人《よにん》だ。

「うひゃー！　こりゃさみい！」

冷《つめ》たい風《かぜ》に吹《ふ》かれて、ぴょんぴょんと悟空《ごくう》がとびはねる。

むっつりとした顔《かお》で出《で》てきたベジータも、色《いろ》ちがいの防寒着《ぼうかんぎ》を身《み》に着《つ》けている。

「ウイスさんはよく平気《へいき》ね」

「ほほほ。宇宙空間《うちゅうくうかん》はもっと寒《さむ》いですからね」

フードつきの上下《じょうげ》セットのウェアで全身《ぜんしん》をしっかりガードしているブルマに、唯一《ゆいいつ》いつもと変《か》わらない服装《ふくそう》のウイスが笑《わら》って言《い》った。

ドラゴンボールを取《と》りかえしにきたにしてはのんきな会話《かいわ》だ。

フリーザ軍《ぐん》の二人《ふたり》は、ためしにスカウターをむけてみる。


ピピピピピッ！

ヒッ、と男《おとこ》たちが悲鳴《ひめい》をあげて尻餅《しりもち》をついた。

「ヤ、ヤバい……スカウターの数値《すうち》が振《ふ》り切《き》れたぞ！　サイヤ人《じん》だ！」

「逃《に》げるぞ！」

こちらにむかってこないうちに早《はや》くしないと！

二人《ふたり》は一目散《いちもくさん》に駆《か》けだす。

停泊《ていはく》していた宇宙船《うちゅうせん》に飛《と》び乗《の》って、エンジンペダルを思《おも》いきり踏《ふ》む。

見《み》るまに急上昇《きゅうじょうしょう》した宇宙船《うちゅうせん》が、逃《に》げ切《き》れると思《おも》った直後《ちょくご》。

「はっ！」

気《き》づいたベジータが空《そら》にむかって気弾《きだん》をはなち――それは機体《きたい》に直撃《ちょくげき》した！

「ひいぃ―――っ!!」

宇宙船《うちゅうせん》はもくもくと黒煙《こくえん》をあげて、あっというまに地上《ちじょう》におちる。

雪《ゆき》にうもれた機体《きたい》を、一足飛《いっそくと》びに近《ちか》づいたベジータが持《も》ちあげる。悟空《ごくう》はコックピットのガラス窓《まど》に頭《あたま》をつけるようにして、中《なか》の二人《ふたり》をのぞきこんだ。

「おいこら、出《で》てきてドラゴンボールを返《かえ》せ！」

「ひいっ！」

フンッ、と鼻息荒《はないきあら》く凄《すご》まれて、二人《ふたり》は首《くび》をすくめ、たがいに顔《かお》を見《み》あわせる。

「ど、ど、どうする？」

「ど……どうするって……、返《かえ》さないとこいつに殺《ころ》される……でも、返《かえ》すとフリーザ様《さま》に殺《ころ》される……」

どちらに転《ころ》んでも最悪《さいあく》だ。

泣《な》きそうな顔《かお》でふるえる男《おとこ》たちに、もう一度《いちど》せまろうとした悟空《ごくう》だったが、

「!!」

とつぜん感《かん》じた強《つよ》い気配《けはい》に、ハッとして空《そら》を見《み》あげた。

押《お》し問答《もんどう》をしているあいだに、どうやらフリーザも到着《とうちゃく》してしまったようだ。

ぶあつくたれこめていた雲《くも》が、急《きゅう》に吹《ふ》き飛《と》ぶ。

その中《なか》からフリーザを乗《の》せた巨大《きょだい》な宇宙船《うちゅうせん》が姿《すがた》をあらわした。

「やれやれ……フリーザの登場《とうじょう》だ」

仰々《ぎょうぎょう》しい衝撃波《しょうげきは》を吹《ふ》きちらしながら宇宙船《うちゅうせん》が着陸《ちゃくりく》する。真剣《しんけん》な表情《ひょうじょう》で見《み》つめながら、悟空《ごくう》が言《い》った。ゆっくりとハッチが開《ひら》こうとした、まさにそのとき。

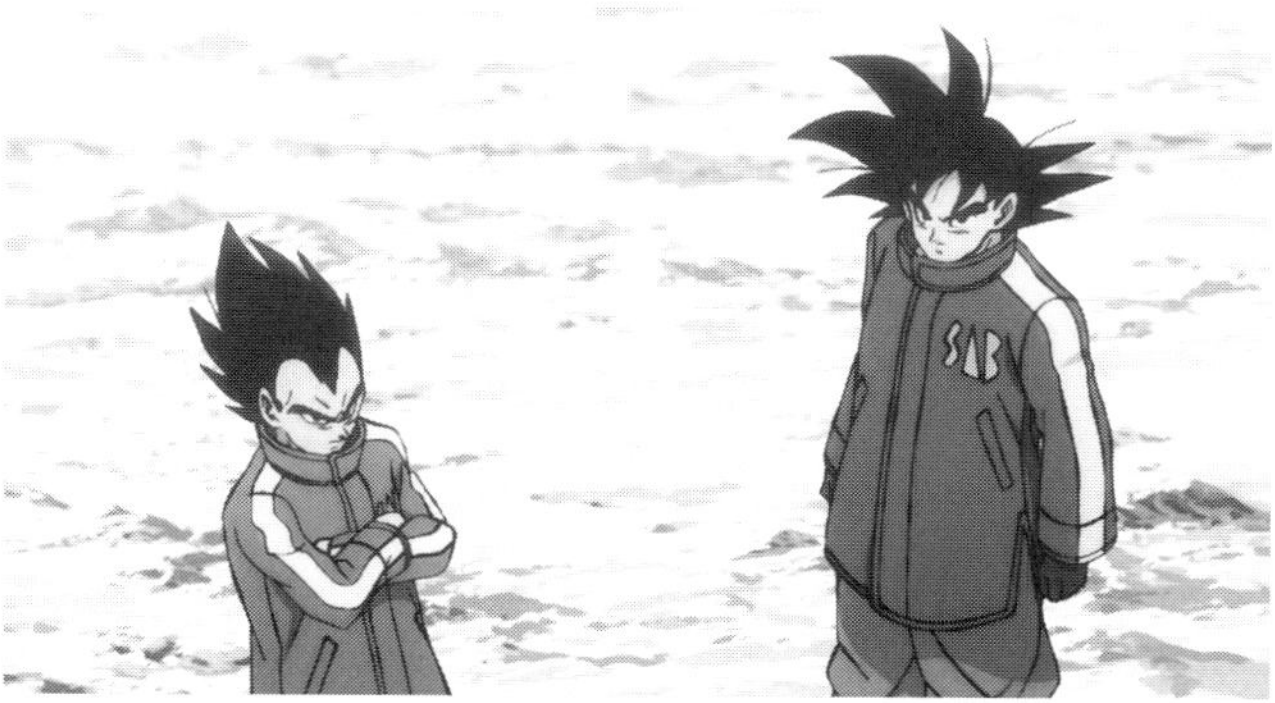

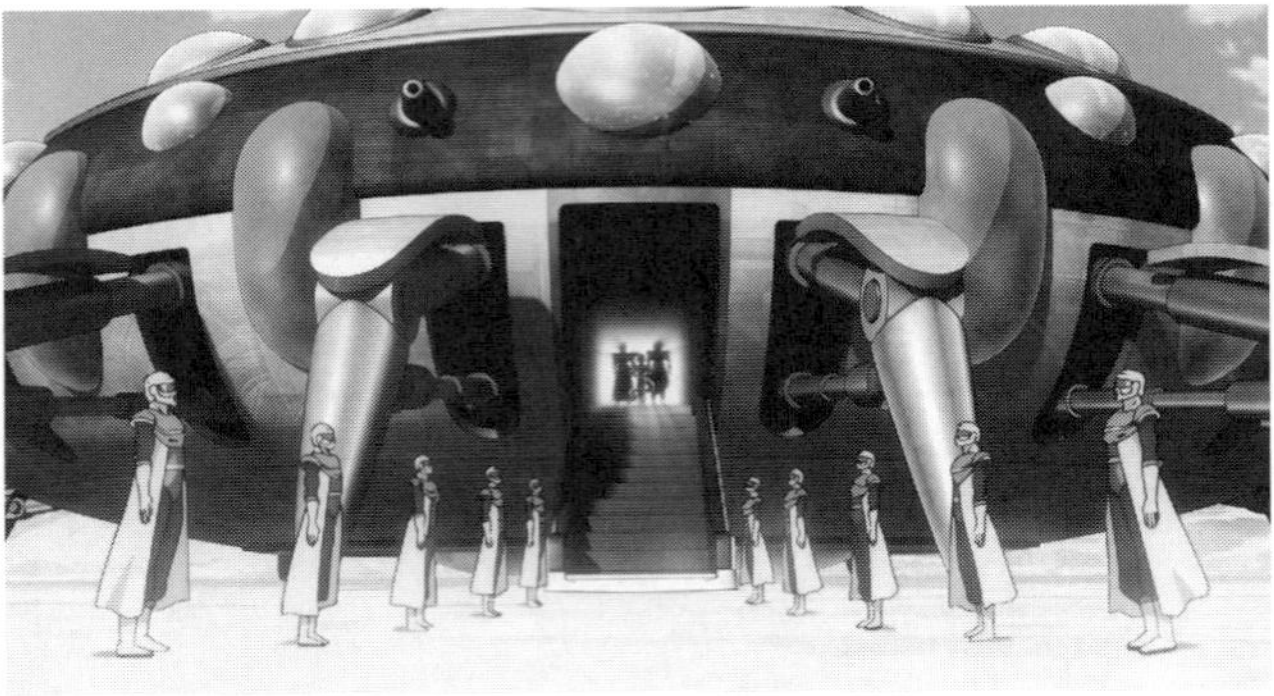

「！」

「フリーザだけじゃねえぞ……なにか、とんでもねぇヤツが……」

感《かん》じたことのない、ものすごく強《つよ》い人間《にんげん》の気配《けはい》がする。

同《おな》じように感《かん》じただろうベジータの表情《ひょうじょう》も、かなりけわしくなっている。

にらむように見《み》つめる先《さき》で、宇宙船《うちゅうせん》のタラップからおりてきたのはフリーザ。

それにフリーザ軍《ぐん》の戦闘服《せんとうふく》に身《み》を包《つつ》んだ、見《み》たことのない二人《ふたり》の男《おとこ》だ。

其《そ》之《の》六《ろく》 謎《なぞ》のサイヤ人《じん》あらわる

悟空《ごくう》とベジータは、フリーザのそばにいる二人《ふたり》の男《おとこ》から、目《め》がはなせないでいた。

年配《ねんぱい》のほうはそれほどでもない。だが、もうひとりの男《おとこ》には、なにかとてつもない気《き》を感《かん》じる。

その男《おとこ》がキッと強《つよ》いまなざしをこちらにむけると、ものすごい衝撃《しょうげき》が悟空《ごくう》たちに届《とど》いた。

「……」

「あいつら、サイヤ人《じん》じゃないか」

ふと、パラガスのシッポに気《き》づいたベジータにそう言《い》われ、悟空《ごくう》も二人《ふたり》をあらためて見《み》る。

なるほど。たしかにそうらしい。

対《たい》して、パラガスもベジータの姿《すがた》にハッと目《め》を見開《みひら》いた。

「……ベジータ！　まちがいない、王《おう》にソックリだ……」

本人《ほんにん》は死《し》んだと聞《き》かされても、まるで生《い》き写《うつ》しの息子《むすこ》を見《み》れば、怒《いか》りがふつふつとわいてくる。

そもそもベジータ王子《おうじ》がブロリーと同時期《どうじき》に生《う》まれていたせいで、自分《じぶん》たちは何十年《なんじゅうねん》も惑星《わくせい》バンパに閉《と》じこめられる羽目《はめ》になったのだ。

原因《げんいん》の原因《げんいん》も、同罪《どうざい》だ。パラガスの復讐心《ふくしゅうしん》が燃《も》えあがる。

「なにしにきたんだ、フリーザ！」

叫《さけ》ぶ悟空《ごくう》にフリーザは、おかしそうに口元《くちもと》をゆがめた。

「もうご存《ぞん》じなんでしょ？　ドラゴンボールで願《ねが》いをかなえるためですよ」

ちょいちょいと手《て》を動《うご》かすと、コソコソと宇宙船《うちゅうせん》のほうへと移動《いどう》していたフリーザ軍《ぐん》の兵士《へいし》たちの手《て》から、七つのドラゴンボールが、ふわりと宙《ちゅう》を舞《ま》ってフリーザの手《て》におさまった。

外《そと》の様子《ようす》を宇宙船《うちゅうせん》の窓《まど》から見《み》つめながら、チライはとなりのレモに声《こえ》をかけた。

「なあ、あの玉《たま》みたいなやつはなんだ？」

「さあな……だれかに聞《き》いてみろよ」

玉《たま》のために、これからブロリーは闘《たたか》うことになるのだろうか。

むかいあっている二人《ふたり》の男《おとこ》にしろ、よくわからないことだらけだ。

どちらにしろ非戦闘員《ひせんとういん》のレモとチライには、なにもできない。

ブロリーの様子《ようす》を気《き》にしつつも、二人《ふたり》はことのなりゆきを見守《みまも》るしかないのだった。

「ちょっとー！　ドラゴンボール取《と》りかえしてよー！」

チライたちとは反対《はんたい》に、様子《ようす》を見《み》ていたブルマはもう我慢《がまん》できないというように、はなれた場《ば》所《しょ》から悟空《ごくう》たちにむかって叫《さけ》んでいた。

「それどころじゃないようですよ」

「？」

いっしょに避難《ひなん》しているウイスがにこやかに言《い》う。

「戦闘民族《せんとうみんぞく》の性《さが》と言《い》うべきでしょうか――」

「！」

その言葉《ことば》にハッとして、ブルマは悟空《ごくう》とベジータを見《み》なおした。

（ああ、もうっ！）

本当《ほんとう》だ。二人《ふたり》とも、闘《たたか》うことしか考《かんが》えていない顔《かお》をしている。

きっとドラゴンボールのことなど、頭《あたま》の片隅《かたすみ》にものこっていないにちがいない。

おもしろそうにことのなりゆきを見《み》つめるウイスのとなりで、ブルマは歯《は》がゆい思《おも》いをするはめになったのだった。

「フリーザ！　その二人《ふたり》は？」

外野《がいや》の思惑《おもわく》など知《し》らない悟空《ごくう》がフリーザに聞《き》くと、いつものていねいな口調《くちょう》でフリーザは二人《ふたり》の紹介《しょうかい》を始《はじ》めた。

「こちらは新《あたら》しくフリーザ軍《ぐん》に加《くわ》わった、ブロリーさんとそのお父様《とうさま》の――？」

「パラガスだ！」

フリーザのうしろにひかえていたパラガスが、名乗《なの》りをあげる。

「だ、そうです。お気《き》づきのように、あなたたちと同《おな》じサイヤ人《じん》ですよ」

「そんなヤツは知《し》らん」

すかさずベジータが答《こた》える。

まだ幼《おさな》いころに母星《ぼせい》が消滅《しょうめつ》したとはいえ、これほどまでに強《つよ》い戦闘力《せんとうりょく》を持《も》っているサイヤ人《じん》なら、王子《おうじ》だったベジータが知《し》らないのはおかしな話《はなし》だ。

だがフリーザは「でしょうね」と楽《たの》しげにほほえんだ。

「あなたが幼《おさな》いころに、このブロリーさんとパラガスさんは、あなたの父親《ちちおや》であるベジータ王《おう》からひどい仕打《しう》ちを受《う》けて、いままで見知《みし》らぬ過酷《かこく》な星《ほし》から脱出《だっしゅつ》できずにいたそうですよ」

落《お》ち着《つ》いた口調《くちょう》ながら、暗《あん》にベジータを挑発《ちょうはつ》するような言《い》い方《かた》だ。

全員《ぜんいん》のあいだを、氷《こおり》の大地《だいち》が運《はこ》ぶ冷《つめ》たい風《かぜ》が吹《ふ》き抜《ぬ》けていく。

「フリーザ」

真剣《しんけん》な顔《かお》で悟空《ごくう》が言《い》う。

「なんですか？」

一触即発《いっしょくそくはつ》か、と思《おも》われるほど緊迫《きんぱく》した無言《むごん》がおとずれ——

「カコクってなんだ？」

まさかの質問《しつもん》だった。悟空《ごくう》らしいと言《い》えば悟空《ごくう》らしい。

全員《ぜんいん》が「そこか！」とつっこみたい気持《きも》ちをかかえる中《なか》、フリーザはどうにかていねいに言葉《ことば》を返《かえ》してやる。

「……厳《きび》しすぎる……ってことですよ」

「へへへ、あんがとな！」

「このバカめ！」

やっと事情《じじょう》が見《み》えてきたとばかりに礼《れい》を言《い》う悟空《ごくう》の横《よこ》で、ベジータが恥《は》ずかしそうに舌打《したう》ちをした。

そんなやり取《と》りも、当事者《とうじしゃ》であるパラガスにはすべてがすべておもしろくない。

「くっ！　おまえだけはぜったいに許《ゆる》さんぞ、ベジータ！　俺《おれ》たちはその復讐《ふくしゅう》にきたんだ！」

怒《いか》りを目《め》にたぎらせて、ベジータに指《ゆび》をつきつける。

「ふざけるな！　オレの知《し》ったことか！」

負《ま》けずに言《い》いかえしたベジータに、悟空《ごくう》も「そうだ」とあいづちを打《う》つ。

「そんなの関係《かんけい》ねえだろ。おんなじサイヤ人同士《じんどうし》なんだ。仲《なか》よくやろうぜ」

あっけらかんと言《い》って、手《て》を頭《あたま》のうしろで組《く》んだ悟空《ごくう》に、パラガスがギリッと奥歯《おくば》をかんだ。

「……ぐっ」

四人《よにん》のやり取《と》りをだまって見《み》ていたブロリーが、うめき声《ごえ》のような声《こえ》を出《だ》す。

そんな息子《むすこ》をちらりと見《み》やり、パラガスはフリーザへと進言《しんげん》する。

「フリーザ様《さま》、いいですか？」

「ぐううう……ッ」

「我慢《がまん》できないようですね」

怒《いか》りの表情《ひょうじょう》をたたえながら、ブロリーの長《なが》い黒髪《くろかみ》がざわめいている。

フリーザは楽《たの》しそうに快諾《かいだく》した。

「いいでしょう。どれほどの実力《じつりょく》か見《み》せてください」

「承知《しょうち》しました。**よし！　ブロリー、やれ!!**」

パラガスが命《めい》じる。

と、同時《どうじ》に、ブロリーは一直線《いっちょくせん》にベジータのもとへと駆《か》けだした！

「うおおおお！」

気合《きあ》いの雄叫《おたけ》びとともに、ブロリーは一気《いっき》に間合《まあ》いをつめ、ベジータにパンチを打《う》ちこむ。

腕《うで》をクロスしてふせいだベジータはニヤリと笑《わら》った。

相手《あいて》が自分《じぶん》を選《えら》んだのだ。

これで思《おも》う存分《ぞんぶん》ぶちのめしてやれるというものだ。

ブロリーの拳《こぶし》をはじいたベジータはうしろにとんで距離《きょり》を取《と》ろうとする。

「おおおお！」

けれどブロリーはさらに加速《かそく》して、いくつもパンチを繰《く》りだしてきた。

それをよけ、ベジータはすかさずブロリーを蹴《け》りあげる。

遠《とお》くまで吹《ふ》っ飛《と》ばされたブロリーが、四《よ》つんばいになり、氷《こおり》をけずりながら急停止《きゅうていし》した。

「はあっ！」

反動《はんどう》を利用《りよう》して、ゴムのようにふたたびベジータへと飛《と》びかかる。

しかしその攻撃《こうげき》も軽《かる》くいなして、ベジータは防寒着《ぼうかんぎ》を脱《ぬ》ぎ捨《す》てた。

「やるじゃないか。ようやく体《からだ》があたたまってきたぜ！」

ベジータのカウンターパンチがブロリーを襲《おそ》う。

拳《こぶし》をくらいつつ反撃《はんげき》を試《こころ》みたブロリーは、力《ちから》まかせに腕《うで》を振《ふ》るった。

だがベジータは簡単《かんたん》によけ、今度《こんど》はベジータの足《あし》がブロリーの腹《はら》にきまった！

「ぐわっ！」

のけぞりながらも耐《た》えたブロリーの足元《あしもと》を、ベジータがはらい、そのまま回転《かいてん》して横腹《よこばら》に足《あし》をめりこませる。

「うおおおおお!!!」

すさまじいいきおいで吹《ふ》っ飛《と》んだブロリーを、ベジータが追《お》う！

だが、ブロリーはカッと目《め》を見開《みひら》くと、逆《ぎゃく》にベジータにむかって飛《と》んできた。

「オラララ！」

「ぐぅあああっ！」

激《はげ》しい殴《なぐ》りあいになる。ブロリーの攻撃《こうげき》はどんどん激《はげ》しさを増《ま》していた。

重量《じゅうりょう》のあるパンチをよければ、標的《ひょうてき》を失《うしな》ったブロリーの拳《こぶし》は、氷《こおり》にビシッとつきささるほどだ。

くだけた氷《こおり》をよけて空中《くうちゅう》にとんだベジータだったが、ブロリーは一瞬《いっしゅん》でその間合《まあ》いをつめ、ベジータの行《ゆ》く手《て》をさえぎった。

「速《はや》い！」

その動《うご》きに、ベジータは目《め》をみはる。

さっきのブロリーとは、まるで別人《べつじん》のようなスピードの変化《へんか》だ。

さすがのベジータも、ブロリーの急成長《きゅうせいちょう》を認《みと》めないわけにはいかなくなった。

「はぁっ！」

「ぐっ」

はなたれたパンチを腕《うで》でガードしつつ、ベジータの口《くち》から思《おも》わず声《こえ》が出《で》る。

スピードも体重《たいじゅう》もじゅうぶんに乗《の》った、いいパンチだ。

「力《ちから》の使《つか》い方《かた》を学習《がくしゅう》しているのか！」

ブロリーは、もしかしたら自分《じぶん》の力《ちから》をここまで出《だ》しきって闘《たたか》ったことがないのかもしれない。闘《たたか》いに慣《な》れてきたいまだからこそ、ベジータの動《うご》きを把握《はあく》して、的確《てきかく》な攻撃《こうげき》ができるようになったようだ。

「はあっ！」

ブロリーの攻撃《こうげき》がするどさを増《ま》す！

パンチをふせいだと思《おも》ったら、ひざ蹴《げ》りでかまえた両腕《りょううで》のすきまをねらわれるのだ。

それをよけ、ふせぎ、ベジータも負《ま》けじと攻《せ》めに転《てん》じる。

まだ少《すこ》しだけ動《うご》きにおくれを取《と》るブロリーが、ふせぎきれない場面《ばめん》は多《おお》い。いまがチャンスだ。

「ベジータのヤツも、そうとうきたえたようだな……！」

二人《ふたり》の闘《たたか》いを見《み》つめているパラガスの額《ひたい》に、あせりの汗《あせ》が流《なが》れる。

「彼《かれ》らはいろいろな修羅場《しゅらば》をくぐっていますからね。それに、まだ慣《な》れていないようですから」

二人《ふたり》の空中戦《くうちゅうせん》を見《み》すえながら、フリーザは意味深《いみしん》に口角《こうかく》をあげた。

「ブロリーさんは人間《にんげん》とは闘《たたか》ったことがないんでしょ」

「私《わたし》とシミュレーションは……」

「あなた程度《ていど》の戦闘力《せんとうりょく》じゃ、ほとんど意味《いみ》がありません」

「……」

さらりと言《い》われたのは、屈辱的《くつじょくてき》な台詞《せりふ》だ。

だが、ブロリーやフリーザとの圧倒的《あっとうてき》な実力差《じつりょくさ》がわからないほど弱《よわ》くもない。

うなだれてしまったパラガスに、フリーザは「ご心配《しんぱい》なく」と言《い》って、一歩前《いっぽまえ》に出《で》た。

「徐々《じょじょ》に慣《な》れてきていますよ」

二人《ふたり》の視線《しせん》の先《さき》では、フリーザの言《い》うとおり、ベジータとブロリーの攻守《こうしゅ》がほとんど互角《ごかく》になりつつあった。


「はぁぁぁあっ!!!」

気合《きあ》いとともにベジータが右《みぎ》パンチを繰《く》りだす！

拳《こぶし》で受《う》けたブロリーの空《あ》いた顔面《がんめん》に、ベジータは次《つぎ》の左《ひだり》パンチを打《う》ちこんだ。

が、ブロリーが腕《うで》でガード。そしてそのままつきあげるように拳《こぶし》を繰《く》りだす。

下《した》からの攻撃《こうげき》を両手《りょうて》で受《う》け止《と》めたベジータは、そこを支点《してん》に、バネのように距離《きょり》を取《と》る。

そのまま両手《りょうて》を組《く》んでブロリーへと振《ふ》りおろした！

とっさに腕《うで》をクロスさせて防御《ぼうぎょ》したブロリーだが、いきおいに押《お》され地面《じめん》のほうへと吹《ふ》っ飛《と》んでいく。

「ぐうっ！」

着地《ちゃくち》した瞬間《しゅんかん》、ぶわっ！　とすごいオーラがブロリーからはなたれた。

間髪《かんはつ》をいれずに地面《じめん》を蹴《け》って、空中《くうちゅう》のベジータへとつっこんでいく。

待《ま》ち受《う》けるベジータの寸前《すんぜん》で加速《かそく》すると、背後《はいご》にまわり、ハッと振《ふ》りむいたベジータの顔面《がんめん》に強力《きょうりょく》な裏拳《うらけん》をくらわせる。

「いいぞ！　ブロリー！」

それを見《み》て興奮《こうふん》したパラガスの声《こえ》は、ブロリーの耳《みみ》には届《とど》いていない。

「はあああっ！」

「ぐぅおおおぉおっ！」

ベジータとブロリーはたがいに一歩《いっぽ》も引《ひ》かず、空中《くうちゅう》でガシッと手《て》を組《く》んでにらみあった。

拮抗《きっこう》する力《ちから》にいらだちはじめたベジータは、よりいっそうの力《ちから》を込《こ》めて、ブロリーを押《お》す。

「！」

次第《しだい》に金色《きんいろ》の光《ひかり》を帯《お》びはじめたベジータの変化《へんか》に、ブロリーが気《き》づいた。

おそらく本能《ほんのう》で危険《きけん》を察《さっ》し、ベジータからはなれようとする。

ベジータはつかんだ手《て》をはなさず、ぐっと引《ひ》きよせた。

「うっとうしいヤツだ……!!」

「ぐわっ！」

ガツッ！　と頭突《ずつ》きをくらわせると同時《どうじ》に、ベジータはブロリーの手《て》をはなす。

返《かえ》す動《うご》きで、ブロリーの顔面《がんめん》に重《おも》いパンチをお見舞《みま》いすれば、ブロリーの体《からだ》はゴムまりのように吹《ふ》っ飛《と》んだ。

背後《はいご》に見《み》える氷山《ひょうざん》に激突《げきとつ》し、つき抜《ぬ》け、氷《こおり》をけずりながらようやく止《と》まる。

ブロリーはくやしそうに奥歯《おくば》をかみしめた。

近《ちか》くの氷山《ひょうざん》に降《お》りたったベジータが冷《つめ》たく見《み》おろす。

「はぁぁぁ!!!」

気合《きあ》いとともに、金色《きんいろ》のオーラがベジータの全身《ぜんしん》を包《つつ》みこみ——

発生《はっせい》した衝撃波《しょうげきは》がブロリーを襲《おそ》う！

ベジータが超《スーパー》サイヤ人《じん》になったのだ。

その衝撃《しょうげき》でベジータの足元《あしもと》の氷山《ひょうざん》がくだけ散《ち》る。

変化《へんか》に驚《おどろ》いたブロリーだが、すぐににらむような視線《しせん》をベジータに送《おく》り、

「はっ！」

それからいきおいよく地面《じめん》を蹴《け》って加速《かそく》した！

さきほどと同《おな》じ戦法《せんぽう》でベジータの目前《もくぜん》までせまり、高《こう》速移動《そくいどう》で背後《はいご》を取《と》る。

「ふん」

が、ベジータはうしろの様子《ようす》を見《み》もせずに、的確《てきかく》な裏《うら》拳《けん》をブロリーの顔面《がんめん》にお見舞《みま》いした。

ブロリーがいきおいよく吹《ふ》っ飛《と》んでいく。

「なっ……なんだ、あれは！」

その様子《ようす》を見《み》つめていたパラガスは、驚《おどろ》きに目《め》を見開《みひら》いた。

あんな強《つよ》さは見《み》たことがない。

ベジータは強《つよ》くなった。それは認《みと》める。

だが、まさかこれほどまでとは——

思《おも》わず後《あと》ずさったパラガスを、フリーザはひどく不思議《ふしぎ》そうな顔《かお》で振《ふ》りかえった。

「おや。ブロリーさんはなれないんですか？　超《スーパー》サイヤ人《じん》に」

「ス、超《スーパー》……サイヤ人《じん》……!?　まさか、伝説《でんせつ》の!?」

そんなバカな。あれは単《たん》なるおとぎ話《ばなし》のような存在《そんざい》ではなかったのか。

さも当然《とうぜん》とばかりに言《い》われた単語《たんご》に、パラガスは言葉《ことば》を失《うしな》ったのだった。


「ぐうう！」

フリーザたちが見《み》つめる先《さき》で、吹《ふ》き飛《と》ばされていたブロリーがうなるような叫《さけ》び声《ごえ》をあげ、空《くう》中《ちゅう》で急停止《きゅうていし》する。

「がぁぁぁっ!!」

あふれ出《で》る闘志《とうし》をオーラのように身《み》にまとい、ベジータへとつっこんでいく。

「ふんっ!」

あっさりとよけたベジータが、ブロリーの顔面《がんめん》に蹴《け》りをくらわせる!

猛《もう》スピードで地面《じめん》に激突《げきとつ》すると、いきおいのついたブロリーの体《からだ》がバウンドした。

そこへふたたびベジータがせまる!

蹴《け》り飛《と》ばし、追《お》いかけてはまた蹴《け》り飛《と》ばす。

目《め》にもとまらぬ速《はや》さで、次々《つぎつぎ》攻撃《こうげき》をしかけるベジータに、しかしブロリーはあきらめていなかった。

何度《なんど》くらわされても果敢《かかん》にいどみ、吹《ふ》っ飛《と》ばされてもくらいつく。

「ちっ!」

しつこいブロリーに舌打《したう》ちをして、ベジータが手《て》のひらをむけた。


ドウン!

近距離《きんきょり》からはなたれた気弾《きだん》が命中《めいちゅう》する!

だが、爆炎《ばくえん》の中《なか》からまっすぐ飛《と》びだしてきたブロリーは、すかさずベジータにパンチを繰《く》りだした。

よけたベジータが、カウンターのパンチをブロリーの顔面《がんめん》へ！

しかしブロリーは、決《けっ》して視線《しせん》をそらさない。

「な、なんだこいつは！」

ベジータの顔《かお》に、わずかなあせりの色《いろ》が見《み》えはじめた。

適応能力《てきおうのうりょく》があるとでも言《い》うのか、闘《たたか》いのセンスがずば抜《ぬ》けている。

この短時間《たんじかん》の応戦《おうせん》で、超《スーパー》サイヤ人《じん》との闘《たたか》いにも慣《な》れてきているのがいい証拠《しょうこ》だ。

「があぁぁっ！」

ブロリーのパンチが腹《はら》にきまり、ベジータを吹《ふ》っ飛《と》ばす！

「ぐうっ！」

まるでさきほどのブロリーと、立場《たちば》が逆《ぎゃく》になったようだ。

氷山《ひょうざん》に激突《げきとつ》したベジータへ、ブロリーの拳《こぶし》がさらにせまる。

「成長《せいちょう》のスピードが速《はや》い！」

憎々《にくにく》しげにベジータは吐《は》き捨《す》てた。

「はぁぁぁ!!」
「ぐおおおおっ!」
氷山《ひょうざん》の中《なか》を、二人《ふたり》は猛《もう》スピードで激突《げきとつ》しながらくだき進《すす》んだ。
そうしてとうとう氷山《ひょうざん》のてっぺんから飛《と》びだすと、フィールドを空中《くうちゅう》にうつし、目《め》にもとまらぬ速《はや》さでたがいの攻防《こうぼう》は激化《げきか》していく。

ドガッ

ズガガガガガッ!

バシッ!　ドゥン!　ズザアァッ!

「すげえヤツだ!　素《す》のままで互角《ごかく》に闘《たたか》いはじめたぞ!」
地上《ちじょう》から二人《ふたり》の闘《たたか》いを見《み》あげる悟空《ごくう》は、思《おも》わず両手《りょうて》をにぎりしめながらそう言《い》った。

闘《たたか》ってみたい、と思《おも》う気持《きも》ちがふくれあがってきてしまう。

超《スーパー》サイヤ人《じん》になったベジータは強《つよ》い。

いままでいっしょに闘《たたか》ってきた悟空《ごくう》は知《し》っている。

だがいま、ブロリーはそんなベジータを押《お》しているようにすら見《み》えるのだ。


劣勢《れっせい》を察《さっ》したベジータは、気合《きあ》い一発《いっぱつ》、肉薄《にくはく》したブロリーの腹《はら》に直接《ちょくせつ》気弾《きだん》を押《お》しつけた！

爆発《ばくはつ》させ、そのいきおいで距離《きょり》を取《と》る。

一瞬《いっしゅん》ひるんだブロリーだが、ダメージはあまりないようだ。超高速《ちょうこうそく》であとを追《お》う。

それをうしろに感《かん》じながら、ベジータは精神《せいしん》を集中《しゅうちゅう》した。

内面《ないめん》で静《しず》かに高《たか》まる闘争心《とうそうしん》と気《き》をあわせ、超《スーパー》サイヤ人《じん》のオーラを内《うち》に吸収《きゅうしゅう》し――


「――ふんっ」

赤《あか》く変化《へんか》した気《き》が、ベジータの全身《ぜんしん》をおおいだした。

竜巻《たつまき》のようないきおいで、圧縮《あっしゅく》された気《き》が足元《あしもと》から一気《いっき》にベジータの全身《ぜんしん》を駆《か》け抜《ぬ》け、金色《きんいろ》だった髪《かみ》の毛《け》が赤《あか》くそまりだす。

超《スーパー》サイヤ人《じん》ゴッドへの進化《しんか》だ。

「はぁっ！」

「!?」

熱《あつ》く渦巻《うずま》く赤《あか》いオーラを噴出《ふんしゅつ》したベジータの闘気《とうき》に、思《おも》わずブロリーは動《うご》きを止《と》めた。

「ああ、あ……」

サイヤ人《じん》の『神《かみ》』としてそこにいるベジータに、本能《ほんのう》が気《け》おされたのだ。

おびえたように空中《くうちゅう》で立《た》ち止《ど》まっているブロリーへ、ベジータが静《しず》かに手《て》をかざす。

ドンッ
「ぐっ！」

ドンッ、ドンッ、ドンッ！

続《つづ》けざまにはなたれる気弾《きだん》の衝撃波《しょうげきは》は、さきほどの比《ひ》ではない。

ブロリーは顔面《がんめん》に、肩《かた》に、腹《はら》に、と攻撃《こうげき》をくらい、どんどんうしろへとさげられる。

ドンッ!!

「ぐうっ！」

最後《さいご》の一発《いっぱつ》を、極限《きょくげん》まで高《たか》めた集中力《しゅうちゅうりょく》でかろうじてよければ、ブロリーを通《とお》りこした衝撃波《しょうげきは》は、うしろの氷山《ひょうざん》を簡単《かんたん》に破壊《はかい》した。

「うおぉぉっ！」

力《ちから》の差《さ》は歴然《れきぜん》だ。

ブロリーの本能《ほんのう》が恐怖心《きょうふしん》を一気《いっき》に高《たか》め、必死《ひっし》の形相《ぎょうそう》でベジータにせまる！

「ぐっ！　はっ！　はあっ！」

闇雲《やみくも》に繰《く》りだされるブロリーの拳《こぶし》を、ベジータは表情《ひょうじょう》ひとつ変《か》えずによける。

そのたびにブロリーは感《かん》じたことのない恐怖《きょうふ》に襲《おそ》われた。

どれだけ必死《ひっし》に攻撃《こうげき》しても、ゴッドになったベジータにはかすりもしないのだ。

「ぐわあああっ！」

おびえたようなうなり声《ごえ》をあげて、ブロリーはすべての力《ちから》を込《こ》めた渾身《こんしん》の一撃《いちげき》をベジータへと繰《く》りだした！

すさまじいいきおいの拳《こぶし》がベジータの顔面《がんめん》にせまり——

——パシッ

「ッ!?」

表情《ひょうじょう》をぴくりとも変《か》えないベジータは、軽《かる》い音《おと》を立《た》ててブロリーの拳《こぶし》を受《う》け止《と》めた。

おびえの色《いろ》を濃《こ》くしたブロリーに、もうなす術《すべ》はない。

そんなブロリーを、ベジータは冷酷《れいこく》な目《め》でじっと見《み》つめ、右《みぎ》の拳《こぶし》に気《き》を集中《しゅうちゅう》させる。

そうしてためた気《き》を、ゆっくりとブロリーにつきだした。

——ドゥンッ!

「あぐっ!!!」

まるでスローモーションのような動《うご》きの拳《こぶし》がブロリーにあたる。

と、同時《どうじ》に、ブロリーの体《からだ》は超高速《ちょうこうそく》で吹《ふ》っ飛《と》んだ！

ぶつかった氷山《ひょうざん》をそのままつらぬき、それでも動《うご》きは止《と》まらない。

さらにうしろへ、また氷《こおり》の山《やま》をぶち抜《ぬ》いて、その体《からだ》は海上《かいじょう》へ飛《と》ぶ。


ズシャアアアッ!!


つきでた流氷《りゅうひょう》に激突《げきとつ》するブロリー！

その衝撃《しょうげき》のすさまじさで、氷《こおり》の表面《ひょうめん》には巨大《きょだい》なクレーターがひろがった。

遠目《とおめ》にも劣勢《れっせい》があきらかな勝負《しょうぶ》のゆくえに、パラガスはその場《ば》でくずれるようにひざをついた。

「べ、ベジータが、ここまで腕《うで》をあげているとは……」

もう無理《むり》だ。勝《か》ち目《め》などない。

超《スーパー》サイヤ人《じん》だってとんでもないのに、ベジータはさらに強《つよ》いなにかに進化《しんか》している。

「おや、もう限界《げんかい》ですか？」

「は、はい……」

フリーザに横目《よこめ》でチラリと見《み》おろされても、パラガスはがくりとうつむいたままだ。

力《ちから》なく答《こた》えるパラガスを真顔《まがお》で見《み》つめ、フリーザはつまらなそうに踵《きびす》を返《かえ》す。

「まあ、いいでしょう。今日《きょう》のところは引《ひ》きあげるとしますか」

「はい……」

下《した》をむいたまま、フリーザのあとに続《つづ》いたパラガスは、ふと、ベジータにやられたままの息子《むすこ》の異様《いよう》な気配《けはい》を察《さっ》して振《ふ》りむいた。

「うぐぐぐ……」

クレーターの中《なか》のブロリーは、なにかをこらえるように激《はげ》しくふるえだしている。

「ぐぐ、ぐぐぐ……」

「なんだ？」

ゴッドの赤《あか》いオーラをまとったベジータも、その異変《いへん》に気《き》づく。

空《そら》の上《うえ》からブロリーを見《み》おろし、顔《かお》をしかめる。

「ぐぐぐ……」

パラガスはいやな予感《よかん》がした。

「い、いかん……！　ブロリー!!　今日《きょう》はここまでだ！　やめろ！　もどってこい!!」

パラガスの必死《ひっし》の叫《さけ》びは、激《はげ》しくふるえるブロリーには届《とど》かない。

なにが起《お》きているのかわからないフリーザが首《くび》をかしげた。

「ぐ、ぐぐぐぅっ！」

苦《くる》しそうにうなるブロリーの全身《ぜんしん》から、異常《いじょう》なまでの気《き》が放出《ほうしゅつ》されはじめた。

まるで、いままで眠《ねむ》っていた力《ちから》がおさえられないかのようだ。

放出《ほうしゅつ》された気《き》で、ブロリーの周辺《しゅうへん》の流氷《りゅうひょう》は破壊《はかい》され、あっというまに蒸発《じょうはつ》する。

「くっ！」

ブロリーの暴走《ぼうそう》が始《はじ》まったのが、パラガスにはわかった。

だがいまならまだ間《ま》にあうはずだ。

パラガスは、あせりながら腰《こし》のポシェットに手《て》を入《い》れて――

「なっ、ない！　リモコンがない！　そんな！」

ずっとここに入《い》れていたはずのリモコンがなくなっているではないか。

そんなバカな。どこかに落《お》としたとでもいうのか。

チライにスられたなどとは夢《ゆめ》にも思《おも》っていないパラガスは、

絶望《ぜつぼう》に足元《あしもと》からくずれ落《お》ちた。

あれがなければ、ブロリーを止《と》めることはもう……

「ブロリー！　やめろと言《い》っているんだ！」

「ぐぐぐ……！」

「俺《おれ》の言《い》うことが聞《き》けないのか————っ!!」

「！」

死《し》にものぐるいで叫《さけ》ぶパラガスの声《こえ》が、一瞬《いっしゅん》ブロリーの耳《みみ》に届《とど》く。

ハッとしたように顔《かお》をあげたそのひとみは、不安定《ふあんてい》にふるえている。その瞬間《しゅんかん》。

「くだらん」

ベジータの手《て》が、無情《むじょう》にもブロリーにむけてかまえられる。

「！　や、やめろ、ベジータ——!!」

二人《ふたり》の様子《ようす》を見《み》つめていた悟空《ごくう》があわてて叫《さけ》ぶが、間《ま》にあわない。

ドウンッ!!!

はなたれた気弾《きだん》が、まっすぐブロリーに直撃《ちょくげき》した。
荒《あ》れる波《なみ》も、足場《あしば》になっていた流氷《りゅうひょう》もなにもかもが、
一瞬《いっしゅん》にして真《ま》っ白《しろ》な光《ひかり》の中《なか》に包《つつ》まれる。

其《そ》之《の》七《なな》 ブロリーの異変《いへん》

衝撃《しょうげき》とともにブロリーが海中《かいちゅう》に消《き》えた。

「……」

とっさに飛《と》びだしてきた悟空《ごくう》は、じっと海面《かいめん》を見《み》つめる。

「！」

すると海面《かいめん》が、下《した》からうねるように暴《あば》れだした！

ブロリーのしずんだ海面《かいめん》を見《み》おろしていたベジータも、その変化《へんか》に気《き》づいた。

暴《あば》れる波《なみ》が渦《うず》になり、海上《かいじょう》の流氷《りゅうひょう》を巻《ま》きこんでいく。

いったいなにが起《お》こっているのか。

渦《うず》の中心《ちゅうしん》がボコリと音《おと》を立《た》てて急《きゅう》にしずみ、カッとまばゆく光《ひか》った。

気《き》づけばブロリーが渦《うず》の中心《ちゅうしん》に立《た》っている。

「うおおおお――――!!」

叫《さけ》び声《ごえ》とともにブロリーから発生《はっせい》した衝撃波《しょうげきは》が、空中《くうちゅう》にいる悟空《ごくう》たちを襲《おそ》う。

その姿《すがた》に、悟空《ごくう》の額《ひたい》から汗《あせ》が流《なが》れた。

「ウソだろ……」

「……な……」

ベジータもブロリーのはなつ気《き》に押《お》されながら、驚《おどろ》いた表情《ひょうじょう》で見《み》つめている。

「おおおお!!!」

叫《さけ》ぶブロリーの戦闘力《せんとうりょく》は、おそろしいほどにあがっていて、まがまがしい気《き》がはなたれている。

「……見《み》たことあるか、あんなサイヤ人《じん》」

呆然《ぼうぜん》としている悟空《ごくう》に、ベジータが振《ふ》りむく。

「おい、仙豆《せんず》持《も》ってきているか、カカロット!」

「持《も》ってきてねえ!」

「これは遊《あそ》んでいる場合《ばあい》じゃないな……！」

いつも余裕《よゆう》を見《み》せたがるベジータがそう言《い》ってしまうほど、ブロリーの変化《へんか》はすさまじい。

「ううう……！」

うめきながら悟空《ごくう》たちの高《たか》さまで浮上《ふじょう》してきたブロリーが、ぴたりと止《と》まる。

「うおおおお!!!」

急《きゅう》に顔《かお》をあげたブロリーは、雄叫《おたけ》びと同時《どうじ》に口《くち》から巨大《きょだい》なエネルギー波《は》をはなってきた！

「わわっ！」

「なっ！」

とつぜんむかってきたエネルギー波《は》を、悟空《ごくう》はなんとかギリギリでよけた。

うしろの氷山《ひょうざん》をいくつもつらぬき、空《そら》にむかってそれていったかと思《おも》うと、空中《くうちゅう》で大爆発《だいばくはつ》が起《お》こる。

「げげっ！　あんなのが地面《じめん》にあたってたら……」

ここいら一帯《いったい》、地形《ちけい》が変《か》わっていたことはまちがいない。

それを見《み》たベジータは、ギリッと奥歯《おくば》をかんだ。

「はぁ！」

ゴッドのオーラをみなぎらせると、ブロリーにむかい一直線《いっちょくせん》に飛《と》んでいく。

ボグッ！

ブンッとすさまじい音《おと》を立《た》てた拳《こぶし》がブロリーの顔面《がんめん》にクリーンヒット！

けれどブロリーは微動《びどう》だにしなかった。

まさかの反応《はんのう》に一瞬遅《いっしゅんおく》れたベジータへ、ギロリと視線《しせん》をやったブロリーのパンチが襲《おそ》う。

寸前《すんぜん》で腕《うで》を前《まえ》に出《だ》し、防御《ぼうぎょ》するベジータ！

「くっ、——があぁっ！」

だが、まるでゴム風船《ふうせん》のようにベジータは遠《とお》くまで吹《ふ》っ飛《と》ばされてしまった。

「ベジータ！」

二人《ふたり》のあとを悟空《ごくう》が追《お》う。

ブンッ！　ズガガッ！

ゴス、バキ、ドカッ！

ブロリーの攻撃《こうげき》はかろうじてベジータにはまだ届《とど》いていない。けれど、あたっているはずのべジータの攻撃《こうげき》は、まるで効果《こうか》がないようだった。

それどころか、素早《すばや》く繰《く》りだされるブロリーの攻撃《こうげき》は、どんどん速《はや》くなっていった。

「なんですかあれは！」

ベジータにせまろうとするブロリーの変化《へんか》に、フリーザは興奮《こうふん》しながら叫《さけ》んだ。

「あ、あれは……サイヤ人《じん》が大猿《おおざる》になったときのパワーを、動《うご》きのにぶい大猿《おおざる》になることなく、人間《にんげん》のままだせるようにしたらしいのですが……」

サイヤ人《じん》らしい野蛮《やばん》で豪快《ごうかい》ですばらしいパワーだ。

だが、パラガスはフリーザの視線《しせん》から逃《に》げるように目《め》をそらした。

「なにか問題《もんだい》でも？」

「そ、それが……自分《じぶん》でも……コントロールがきかないようで……」

我《われ》を忘《わす》れて暴《あば》れるブロリーに、フリーザは「ほう」と目《め》を細《ほそ》

めた。

「ぐわっ！」

思《おも》いきり振《ふ》り被《かぶ》ったブロリーの拳《こぶし》が、とうとうベジータをとらえた。

ガードの上《うえ》から激《はげ》しく吹《ふ》き飛《と》ばされたベジータは、なんとか受《う》け身《み》を取《と》って着地《ちゃくち》した。

ブロリーがふたたびねらいをさだめる。

そのとき。

「おい！　おまえ！」

「！」

いままさに飛《と》びかからんとしていたブロリーは、自分《じぶん》にむけられる気配《けはい》に振《ふ》りかえった。

悟空《ごくう》が防寒用《ぼうかんよう》のコートを脱《ぬ》ぎ捨《す》て、その場《ば》で軽《かる》く跳躍《ちょうやく》をしている。

「そろそろオラとやろうぜ」

「ぐうぅぅ……」

かまえる悟空《ごくう》は楽《たの》しそうに、集中力《しゅうちゅうりょく》を高《たか》めていく。それをにらむブロリーも、完全《かんぜん》にベジータから悟空《ごくう》へと意識《いしき》を変《か》えた。

うめき声《ごえ》とともに、ぐっと力《ちから》を入《い》れた筋肉《きんにく》が盛《も》りあがり、腰《こし》の毛皮《けがわ》がふわりとなびく。

「ぐおおおおおっ！」

叫《さけ》ぶブロリーの体《からだ》から緑色《みどりいろ》のオーラが噴出《ふんしゅつ》する！

その拍子《ひょうし》に、首《くび》についていた金属《きんぞく》の輪《わ》が、盛《も》りあがった筋肉《きんにく》によって破壊《はかい》された。

「ふぅぅん……」

そんなブロリーに、悟空《ごくう》は不敵《ふてき》な表情《ひょうじょう》を浮《う》かべると、左腕《ひだりうで》を前《まえ》にかまえ、軸足《じくあし》に体重《たいじゅう》を移動《いどう》させた。反応《はんのう》したブロリーも、真逆《まぎゃく》の動《うご》きで前《まえ》のめりに体勢《たいせい》をかまえ

――

「ぬぅぅぅぅぅぅ！」

「はあぁぁぁぁっ！」

ドン！　と二人同時《ふたりどうじ》に地面《じめん》を蹴《け》る。

繰《く》りだされた拳《こぶし》は空中《くうちゅう》で激突《げきとつ》し、わずかに悟空《ごくう》がう

しろに押《お》された。

けれどもすぐに立《た》てなおす。

「はぁぁぁ!!!」

「がぁぁぁ!!」

たがいにまわりこみながら、蹴《け》りとパンチで反撃《はんげき》しあい、受《う》けては返《かえ》すを繰《く》りかえす。

激《はげ》しい攻防《こうぼう》の一瞬《いっしゅん》のすきをついて、ブロリーの蹴《け》りが悟空《ごくう》を襲《おそ》う！

「ぐわああ！」

両腕《りょううで》で受《う》けた悟空《ごくう》は、それでもうしろへ吹《ふ》っ飛《と》ばされた。

空中《くうちゅう》で体勢《たいせい》を立《た》てなおし、悟空《ごくう》は両手首《りょうてくび》をぐっとあわせる。

「**かぁめぇはぁめぇ……**」

そのままググッと腰《こし》に引《ひ》き、気《き》を一点《いってん》に集中《しゅうちゅう》させて——

「**波《は》ぁぁぁぁぁぁっ!!**」

凝縮《ぎょうしゅく》したエネルギーを一気《いっき》にはなつ！

「！」

ブロリーはギリギリでかめはめ波《は》をよけ、悟空《ごくう》の背後《はいご》へ超高速《ちょうこうそく》でまわりこむ！

悟空《ごくう》も気《き》づき、振《ふ》りかえる。そしてすかさずエネルギー弾《だん》を連続《れんぞく》ではなった。

「おりゃ、おりゃ、おりゃ、おりゃあああっ！」

「がぁぁっ！」

それもギリギリでかわしたブロリーが、最後《さいご》の玉《たま》を腕《うで》ではじいた！

返《かえ》す動《うご》きで、今度《こんど》はブロリーがエネルギー弾《だん》を悟空《ごくう》にはなつ。

はじく悟空《ごくう》のすきをつき、ブロリーは急速《きゅうそく》に接近《せっきん》する。

気《き》づいたときには、ブロリーのぶあつい拳《こぶし》が悟空《ごくう》の顔面《がんめん》に食《く》いこんでいた。

「ぐあぁぁぁぁぁぁっ!!」

吹《ふ》っ飛《と》ばされた体《からだ》は氷壁《ひょうへき》に激突《げきとつ》し、奥《おく》へ奥《おく》へとめりこんでいく。

ブロリーは追撃《ついげき》の手《て》を休《やす》めず、悟空《ごくう》にさらなるパンチを繰《く》りだした！

「ふんっ！」

「――ぐああっ！」

顔面《がんめん》をガードした悟空《ごくう》のボディへ、ブロリーのアッパーがきまる！

いきおいに押《お》され悟空《ごくう》は上空《じょうくう》へと押《お》しあげられた。

そのうしろでブロリーのオーラが爆発《ばくはつ》する。

まとうオーラは、まるで噴火《ふんか》のようだ。

「ありゃあぁっ！」

それをながめる悟空《ごくう》は、ふっと笑《わら》った。相手《あいて》は、めちゃめちゃ強《つよ》い。

悟空《ごくう》はグンッと気《き》を高《たか》める。

見《み》るまに金色《きんいろ》のオーラが全身《ぜんしん》をおおい、黒《くろ》かった髪《かみ》の毛《け》も金髪《きんぱつ》に変《か》わり逆立《さかだ》った。

悟空《ごくう》が**超《スーパー》サイヤ人《じん》**になった姿《すがた》だ。

「はあぁぁぁぁぁあっ!!」

「ぬぅうううううううっ!!!」

山頂《さんちょう》から距離《きょり》をつめてくるブロリーに、悟空《ごくう》も地上《ちじょう》から一《いっ》気《き》につっこむ！

クロスする一瞬《いっしゅん》でたがいの攻撃《こうげき》が炸裂《さくれつ》する！


ズガアアアッ!!

ブロリーのはなった光弾《こうだん》を悟空《ごくう》は腕一本《うでいっぽん》ではじいた。そのいきおいで力《ちから》を乗《の》せたパンチを浴《あ》びせる。けれどブロリーは悟空《ごくう》の体《からだ》ごと両手《りょうて》ではじいた！

「だあぁぁ！」

ブロリーの攻撃《こうげき》！

振《ふ》りかぶったブロリーは、高速移動《こうそくいどう》で消《き》えた悟空《ごくう》に動《うご》きを止《と》める。見失《みうしな》った気配《けはい》を背後《はいご》に感《かん》じて振《ふ》りむけば、かめはめ波《は》のかまえでニヤリと笑《わら》う悟空《ごくう》の姿《すがた》が！

「はぁぁぁっ！」

けれどブロリーは一瞬《いっしゅん》で高速移動《こうそくいどう》をマスターし、攻撃《こうげき》をかわす。

一進一退《いっしんいったい》の攻撃《こうげき》がしばらく続《つづ》き――そして、ブロリーのパンチが悟空《ごくう》の顔《かお》に入《はい》った！

「ぐわっ！」

大《おお》きくうしろに吹《ふ》っ飛《と》ばされた悟空《ごくう》へ、すかさずブロリーの拳《こぶし》がせまる。それをかわして反撃《はんげき》に出《で》た悟空《ごくう》をよけて、ブロリーはエネルギーをためた拳《こぶし》を悟空《ごくう》の腹《はら》に押《お》しつける。

ドンッ!!!

「ああああああああ!!!」

宙高《ちゅうたか》く悟空《ごくう》の体《からだ》が吹《ふ》っ飛《と》ばされた！

その背《せ》に超高速移動《ちょうこうそくいどう》したブロリーの両手《りょうて》が振《ふ》りおろされて、悟空《ごくう》は地面《じめん》にたたき落《お》とされる。

受《う》け身《み》で激突《げきとつ》に耐《た》えた悟空《ごくう》は、すかさず空《そら》から降《ふ》ってきたブロリーの蹴《け》りを、逆《ぎゃく》に逆立《さかだ》ちで蹴《け》り飛《と》ばす！

「ありゃああ！」

「ぬぅあっ!!」

一瞬《いっしゅん》の静寂《せいじゃく》。

二人《ふたり》はたがいに距離《きょり》を取《と》り、するどい視線《しせん》でにらみあった。

「へへへ……」

いまはどちらかと言《い》えば劣勢《れっせい》の悟空《ごくう》は、それでもどこか楽《たの》しくなってしまった。

気弾《きだん》も高速移動《こうそくいどう》も、悟空《ごくう》が手《て》の内《うち》を見《み》せたら、ブロリーはすぐに対応《たいおう》した。きっともっと強《つよ》くなる。ピンチであるはずの状況《じょうきょう》が、悟空《ごくう》にはどうにも楽《たの》しくてしかたがなくなってしまう。

(これがサイヤ人《じん》の血《ち》ってやつだなぁ……)

次《つぎ》にブロリーはどうくるだろうか。

出方《でかた》を見《み》すえる悟空《ごくう》の目《め》が、ブロリーの足《あし》が地面《じめん》を蹴《け》る瞬間《しゅんかん》をとらえた。

「うぉぉぉぉっ!!!」

氷《こおり》の煙《けむり》をしたがえてつっこんでくるブロリーにむかいながら、悟空《ごくう》は冷静《れいせい》に全身《ぜんしん》の気《き》を高《たか》める。

悟空《ごくう》の髪《かみ》が赤《あか》に変《か》わった。取《と》りこんだ神《かみ》の気《き》が、体《からだ》の内《うち》に満《み》ちたのだ。一度《いちど》閉《と》じたまぶたをフッとあげれば、悟空《ごくう》のひとみも赤《あか》くそまっていた。

超《スーパー》サイヤ人《じん》ゴッドへの変化《へんか》だ。

こうなれば、ふたたび悟空《ごくう》の強《つよ》さがブロリーをあっというまに上《うわ》まわる!

「うおおお!　ぐあああああっ!」

がむしゃらに打《う》ちおろされる拳《こぶし》を、悟空《ごくう》はスローモーションのような動《うご》きでいなす。

「おい、落《お》ち着《つ》け!」

呼《よ》びかけた悟空《ごくう》へ、ブロリーは雄叫《おたけ》びをあげた。

「ぐぉぉぉおおおおおおおおおおおおおおお!!!」

ビリビリと体《からだ》をふるわせる大声《おおごえ》は、まるで子供《こども》の泣《な》き声《ごえ》のようでもある。

悟空《ごくう》はふたたびすごい迫力《はくりょく》でせまってくるブロリーに、ためたオーラをドンッ!　とぶつけた。

「ぐぅっ……!!　ぬっ!　ぐぅぅぅぅっ!!」

圧倒的《あっとうてき》なゴッドの気《き》をはなつことで、ブロリーを一時的《いちじてき》に金縛《かなしば》りにあわせたのだ。

「オラたちはここで……この地球《ちきゅう》で平和《へいわ》に暮《く》らしている……」

「ぬぅぅぅっ」

「まあいろいろ、あったけどな……」

口角《こうかく》をあげる悟空《ごくう》の脳裏《のうり》には、いままで出会《であ》ったたくさんの強敵《きょうてき》との闘《たたか》いが思《おも》い出《だ》されていた。

ピッコロ、ラディッツ、そしてベジータ――。

フリーザやセルもいた。魔人《まじん》ブウの強《つよ》さはすさまじかった。

そしていま、目《め》の前《まえ》にいるのはブロリーだ。

とてつもない強敵《きょうてき》が、また悟空《ごくう》の前《まえ》にあらわれたのだ。

「ぬあぁぁぁっ！」

ブロリーは激《はげ》しく吠《ほ》え続《つづ》けている。

体《からだ》の自由《じゆう》をうばわれたことにいらだちを感《かん》じているようだ。

悟空《ごくう》は敵意《てきい》がないと示《しめ》すかのように、両手《りょうて》をひろげてみせた。

「とにかくおめえは悪《わる》いヤツじゃねえ……オラにはわかるんだ」

ニッと笑《わら》いかけられて、ブロリーの中《なか》でなにかが動《うご》いた。

「ぐ……ああ、あ……」

「こんなことはやめろ！　悪《わる》いヤツらの言《い》うことなんて聞《き》くこたぁねえぞ！」

ブロリーは、一瞬《いっしゅん》ハッとしたような表情《ひょうじょう》を見《み》せる。

「……ぐううう……」

けれど、おさえようのない激情《げきじょう》がブロリーの中《なか》に吹《ふ》き荒《あ》れた。

「くっ！」

気《き》づいた悟空《ごくう》が、オーラの力《ちから》を強《つよ》める。

それがかえってブロリーの闘争心《とうそうしん》に火《ひ》をつけたようだった。

「……があああああああああっ!!!」

雄叫《おたけ》びをあげ、悟空《ごくう》のオーラの拘束《こうそく》を解《と》く！

「はぁっ！」

そして、今度《こんど》は逆《ぎゃく》に悟空《ごくう》の足元《あしもと》を自分《じぶん》のオーラで捕《と》らえた。

「むっ！」

さすがに驚《おどろ》く悟空《ごくう》の顔面《がんめん》に、ブロリーの拳《こぶし》がめりこむ。

それでもまだ悟空《ごくう》の力《ちから》が上《うえ》だ。

ブロリーの拳《こぶし》をそのまま頬《ほお》で押《お》しかえし、左手《ひだりて》でブロリーの右手《みぎて》をつかむ。そして一本背負《いっぽんぜお》いの要領《ようりょう》で、悟空《ごくう》はブロリーを地面《じめん》にたたきつけた！

大激突《だいげきとつ》のいきおいで氷《こおり》の大地《だいち》に巨大《きょだい》なヒビが入《はい》る！


「うわわわわ！」

「まあ。あらあらあら」

地盤《じばん》の変動《へんどう》をもたらすほどの激《はげ》しさに、遠目《とおめ》で様子《ようす》を見《み》ていたブルマがぐらつき、とっさに横《よこ》でベジータが支《ささ》える。ウイスは、彼《かれ》らを楽《たの》しそうに見《み》ているだけだ。

「ひゃ、あああ……！　フリーザ様《さま》！　少《すこ》しはなれていいですかぁ！」

宇宙船《うちゅうせん》の外《そと》で見《み》ていたキコノはフリーザに声《こえ》をかける。

「そのほうがよさそうですね」

ちらりとそちらを見《み》たフリーザは、念力《ねんりき》でドラゴンボールをキコノにわたした。

「ドラゴンボール、たしかにお預《あず》かりしました!!」

ハッチが閉《し》まり、宇宙船《うちゅうせん》はその場《ば》をはなれた。

「さて。これで心置《こころお》きなく、あなたの息子《むすこ》の活躍《かつやく》が見《み》れますね」

地上《ちじょう》にのこされ不安《ふあん》げなパラガスに、フリーザは楽《たの》しそうに言《い》った。


チライは窓《まど》からブロリーを見《み》てつぶやいた。

「あ、あそこまでスゴかったんだ、あいつ……」

「だが、ありゃ、まともじゃないぞ」

窓枠《まどわく》に手《て》をつくチライの横《よこ》で、レモは表情《ひょうじょう》を曇《くも》らせる。

「ああ。あのオヤジのせいだよ……！」

チライは怒《いか》りに肩《かた》をふるわせた。

「おとなしいブロリーを強引《ごういん》に自分《じぶん》の思《おも》いどおりの戦士《せんし》に育《そだ》てた結果《けっか》だよ……！」

食堂《しょくどう》で見《み》たおびえるブロリーと、リモコンを掲《かか》げてニヤリといやな笑《わら》いを浮《う》かべるパラガスの姿《すがた》を思《おも》い出《だ》せば、どういう育《そだ》てられ方《かた》をしてきたかなんて想像《そうぞう》は簡単《かんたん》だ。

「それが、キレたのか……」

「なんてかわいそうなヤツだ……」

二人《ふたり》の見《み》おろす窓《まど》の下《した》で、ブロリーの苦《くる》しげな雄叫《おたけ》びがひびきわたっていた。


「があああ！　ぐああああっ!!」

ブロリーは打《う》ちつけられた体《からだ》を起《お》こし、ふたたび悟空《ごくう》にむかってきた！

迎《むか》える悟空《ごくう》も一気《いっき》に間合《まあ》いをつめ、二人《ふたり》は急速《きゅうそく》に接近《せっきん》した。

すれちがいざまに激突《げきとつ》し、地面《じめん》が衝撃《しょうげき》に巻《ま》きあがる。

ブロリーのパンチを左手《ひだりて》で受《う》けて、悟空《ごくう》はふところに入《はい》りこんだ。

「だだだだだだっ!!」

「ぐううう！」

「だああ!!」

連打《れんだ》をお見舞《みま》いすればブロリーの肩《かた》が少《すこ》しうしろにさがる。

だが、ダメージはあまりないようだ。
お返《かえ》しとばかりに強力《きょうりょく》なパンチに襲《おそ》われて、悟空《ごくう》の顔《かお》からゴッドのおだやかさがくずれはじめた。

ボグッ！

「うがぁっ！」
悟空《ごくう》の顔《かお》にブロリーの拳《こぶし》がずしりと入《はい》る！
体《からだ》を折《お》り曲《ま》げる悟空《ごくう》の意識《いしき》が遠《とお》くなるほどの衝撃《しょうげき》だ。
ブロリーは攻撃《こうげき》の手《て》をゆるめることなく、悟空《ごくう》をつかむと空高《そらたか》く投《な》げ飛《と》ばした。
地面《じめん》へ落下《らっか》しうめく悟空《ごくう》を、振《ふ》りあげた足《あし》で踏《ふ》み抜《ぬ》こうとする！
転《ころ》がるようによけた悟空《ごくう》を追《お》いかけ、ブロリーは何《なん》度《ど》も踏《ふ》みつぶそうと足《あし》を繰《く》りだす。
間一髪《かんいっぱつ》でよけた悟空《ごくう》は、手《て》にためた気《き》をブロリーに

打《う》ちこもうとつきだした。しかしブロリーは、それを拳《こぶし》ごとつかんでにぎりつぶしてしまった！

そしてすさまじいパワーにまかせて悟空《ごくう》の足《あし》を引《ひ》っつかむと、地面《じめん》にたたきつける。

「ぎゃあああああ!!」

あまりの衝撃《しょうげき》に、悟空《ごくう》が叫《さけ》ぶ。

ブロリーは足《あし》をつかんだまま、何度《なんど》も何度《なんど》も悟空《ごくう》を地《じ》面《めん》に打《う》ちつける。

「ぐわぁぁ！」

反撃《はんげき》するまも与《あた》えずに、ブロリーは今度《こんど》は悟空《ごくう》の頭《あたま》をつかみ、氷壁《ひょうへき》にめりこませたまま走《はし》りだした。

「ががががっ！」

抵抗《ていこう》もできない悟空《ごくう》を、あきたおもちゃのように放《ほう》り投《な》げた。

悟空《ごくう》はそのまま落下《らっか》し、ズシャリと地面《じめん》に激突《げきとつ》する。

「ぐ、ぁ……がぁぁ……があああああああ!!!」

ボロボロの姿《すがた》で倒《たお》れたまま動《うご》けない悟空《ごくう》の横《よこ》で、雄叫《おたけ》びをあげるブロリーの表情《ひょうじょう》は、まるで獣《けもの》のようだった。


咆哮《ほうこう》する息子《むすこ》の姿《すがた》に、パラガスはブルブルと体《からだ》をふるわせる。

「ああ……このままでは、私《わたし》はブロリーに殺《ころ》されてしまう……」

頭《あたま》をかかえてひざをついたパラガスの脳裏《のうり》には、復讐《ふくしゅう》という文字《もじ》が浮《う》かぶ。

電気《でんき》でブロリーをコントロールしてきたが、いまはそのリモコンがない。

「あああ……終《お》わりだ……」

フリーザは情《なさ》けない声《こえ》でふるえるパラガスをさげすむように見《み》おろして、ブロリーへと視線《しせん》をもどした。そのそばには、いまだかつて見《み》たこともないくらいボロボロの悟空《ごくう》がいる。

「おやおや。このフリーザ様《さま》の出番《でばん》がありませんねぇ……」

雄叫《おたけ》びをあげ続《つづ》けるブロリーを、目《め》を細《ほそ》めて見《み》つめながら、フリーザは楽《たの》しそうに薄《うす》く笑《わら》ったのだった。

其《そ》之《の》八《はち》

覚醒《かくせい》の条件《じょうけん》

そのころ、氷《こおり》の大陸《たいりく》から遠《とお》くはなれた地《ち》で、ピッコロは異変《いへん》を察《さっ》していた。

強大《きょうだい》な気《き》がぶつかりあい、乱《みだ》れている。

おだやかな山《やま》の自然《しぜん》をゆるがすような気配《けはい》のゆくえを探《さぐ》っていたピッコロは、そこに悟空《ごくう》の気《き》を見《み》つけた。

『……ん、――孫《そん》!!』

悟空《ごくう》の意識《いしき》へと呼《よ》びかける。

「!?」

頭《あたま》のなかに直接《ちょくせつ》ひびいたピッコロの声《こえ》で、悟空《ごくう》は意識《いしき》をとりもどした。

『なにがあったんだ。この気《き》はフリーザじゃないな……』
『……あ、ああ、まあな』
『取《と》りこみ中《ちゅう》のようだな』
息《いき》も絶《た》え絶《だ》えな悟空《ごくう》の声《こえ》に、ピッコロはごくりと息《いき》をのんだ。
『そういう、こと』
テレパシーで会話《かいわ》をしながら、悟空《ごくう》は体《からだ》をどうにか起《お》きあがらせる。
『とんでもない気《き》だ。……俺《おれ》が行《い》ってもかえって邪魔《じゃま》か……』
敵《てき》の力量《りきりょう》を正確《せいかく》に推《お》しはかり、ピッコロがくやしそうにうめく。
悟空《ごくう》はなにかを考《かんが》えるように、語《かた》りかけた。
『そのまま待機《たいき》しててくれ――やばくなったらそっちに瞬間移動《しゅんかんいどう》する』
雄叫《おたけ》びをあげ続《つづ》けていたブロリーが、悟空《ごくう》に気《き》づき動《うご》きを止《と》める。
『おまえがそんなことを言《い》うなんて、そうとうな相手《あいて》だな』
『へへ……じゃあな！』
ピッコロとの会話《かいわ》を切《き》りあげ、悟空《ごくう》はボロボロの道着《どうぎ》を破《やぶ》り捨《す》てた。
今度《こんど》は最高《さいこう》のパワーで闘《たたか》うと心《こころ》にきめる。

「ぬぅううう、ああああああああああ!!!!」

力《ちから》を込《こ》めて、一気《いっき》にパワーを解放《かいほう》した悟空《ごくう》の体《からだ》から、次第《しだい》に赤《あか》いオーラが噴《ふ》きだしはじめた。

「ぬううりゃあああああああ!!!!!」

強大《きょうだい》なオーラが悟空《ごくう》の全身《ぜんしん》から噴出《ふんしゅつ》し、あたりの氷《こおり》を溶《と》かしていく。

「うおおおおおおおお!!!!!!!!」

気力《きりょく》をふりしぼり、叫《さけ》ぶ悟空《ごくう》!

極限《きょくげん》まで気《き》を高《たか》めた悟空《ごくう》の赤髪《あかがみ》が逆立《さかだ》ち、徐々《じょじょ》に青《あお》くいろどられはじめた。

超《スーパー》サイヤ人《じん》の神《かみ》ともいえる超《スーパー》サイヤ人《じん》ゴッド、――そしてついに、それを超《こ》えた**超《スーパー》サイヤ人《じん》ゴッド超《スーパー》サイヤ人《じん》**になったのだ!

「……」

見《み》つめていたブロリーの顔《かお》に、喜《よろこ》びの表情《ひょうじょう》が浮《う》かぶ。

「ふうぅぅ……」

いままでになく神《かみ》らしい憤怒《ふんど》の表情《ひょうじょう》となった悟空《ごくう》が、ダンッと地面《じめん》を蹴《け》った！

あっというまに距離《きょり》をつめたブロリーと組《く》みあうと、たがいのほとばしる気合《きあ》いで地面《じめん》に亀裂《きれつ》が入《はい》る。

悟空《ごくう》の手《て》をはねのけたブロリーが拳《こぶし》をいきおいよく振《ふ》りおろす！

それをなんとかよけて、悟空《ごくう》はブロリーにむかって巨大《きょだい》なエネルギー波《は》をはなつ！

直撃《ちょくげき》を受《う》けたブロリーは空《そら》へと吹《ふ》っ飛《と》ばされた。

けれどやられたままでは終《お》わらない。

今度《こんど》はブロリーが空《そら》から無数《むすう》のエネルギー波《は》を飛《と》ばしてくる！

「だりゃあ――――！」

爆風《ばくふう》をものともせずに飛《と》びだしていく悟空《ごくう》とブロリーの拳《こぶし》

がふたたびかさなりあえば、その衝撃《しょうげき》がさらなる爆風《ばくふう》をまきおこす。

ガッ！　ドドドドッ！　ガキィッ！

激《はげ》しい攻防《こうぼう》を繰《く》りひろげながら、二人《ふたり》は地上《ちじょう》につっこんでいく。

衝撃《しょうげき》で大地《だいち》が割《わ》れ、地底《ちてい》マグマが吹《ふ》き荒《あ》れる溶岩地帯《ようがんちたい》にまで進《すす》む。

まとうオーラがマグマをよせつけないほどに、激《はげ》しい殴《なぐ》りあいを続《つづ》ける悟空《ごくう》とブロリー。

ふたたび氷河《ひょうが》の山《やま》をつき破《やぶ》り地上《ちじょう》に飛《と》びだしてくると、上空高《じょうくうたか》くでブロリーは手《て》のひらにエネルギーのかたまりを集《あつ》めはじめた。

「があぁぁぁぁ！」

緑《みどり》のエネルギー玉《だま》は、まるで元気玉《げんきだま》のようにどんどん巨大《きょだい》になっていく。

身構《みがま》える悟空《ごくう》めがけて、ブロリーが全力《ぜんりょく》でそれを放《ほう》り投《な》げる！

悟空《ごくう》は受《う》け止《と》めるが、巨大《きょだい》な玉《たま》はいきおいをそのままに周辺《しゅうへん》の大地《だいち》を破壊《はかい》して、大爆発《だいばくはつ》の衝撃《しょうげき》波《は》がいっせいにひろがった。

くだけた氷《こおり》の大地《だいち》からマグマが噴《ふ》きだし、あたりを灼熱色《しゃくねついろ》にそめる。

「ぬぬ……があああっ！」

そのすさまじい風圧《ふうあつ》に耐《た》えられなかったのは、はなれて見《み》ていたパラガスだった。

涼《すず》しい顔《かお》でバリアをはったフリーザの横《よこ》から、いきおいよく吹《ふ》っ飛《と》ばされて、つきでた岩《いわ》に激《げき》突《とつ》する。

「ぐぅぅっ……、も、もしかしたら、ベジータ王《おう》が言《い》ったことは正《ただ》しかったのか……」

パラガスの脳裏《のうり》に、憎《にく》いベジータ王《おう》の言葉《ことば》がよみがえる。彼《かれ》は、ブロリーはいずれ正常《せいじょう》な精神《せいしん》状態《じょうたい》をたもてなくなり、宇宙《うちゅう》を危機《きき》にさらすと不吉《ふきつ》な予言《よげん》をしていた。目《め》の前《まえ》にいる息子《むすこ》は、その言葉《ことば》どおり、すべてを破壊《はかい》しようとしているようにパラガスには見《み》えたのだった。

だが、ブルーの悟空《ごくう》のパワーはブロリーを上回《うわまわ》りつつあった。

ふたたび激《はげ》しい攻防《こうぼう》を繰《く》りひろげていた二人《ふたり》だが、悟空《ごくう》のパンチがきまる回数《かいすう》が増《ふ》えている。

バランスをくずしたブロリーの腹《はら》に、悟空《ごくう》はすかさず気《き》を打《う》ちこんだ。

ブロリーは吹《ふ》き飛《と》び、岩壁《がんぺき》へとたたきつけられる。

倒《たお》れこんでいるパラガスへ、フリーザがちらりと視線《しせん》をむけた。

「今度《こんど》こそ、これ以上《いじょう》はないのですか？」

「は、はい……」

その言葉《ことば》に、フリーザがニヤリと笑《わら》った。

「なるほど」

フリーザの頭《あたま》に、残忍《ざんにん》な可能性《かのうせい》が浮《う》かんだのだ。

あのいまいましい孫悟空《そんごくう》が、初《はじ》めて超《スーパー》サイヤ人《じん》となったときのことを思《おも》い出《だ》せば、やってみたいことがある。

悟空《ごくう》の覚醒《かくせい》は、あることがきっかけだった。

それはクリリンの──親《した》しい人間《にんげん》の死《し》、だ。

フリーザがクリリンを爆散《ばくさん》させたことをきっかけに、悟空《ごくう》は怒《いか》りで我《われ》を忘《わす》れた。

それが引《ひ》き金《がね》となって、悟空《ごくう》の戦闘力《せんとうりょく》はふくれあがり、超《スーパー》サイヤ人《じん》へと進化《しんか》したのだ。

仲間《なかま》の死《し》などどうでもいいはずのサイヤ人《じん》が、そんなことで強《つよ》くなることもある。

だとすればブロリーも、きっかけさえあればもっと強《つよ》くなるのでは、と。

「……ためしてみましょうか」

フリーザは、パラガスをちらりと見《み》た。

すぐそこでおびえてうずくまっている男《おとこ》はまるで役《やく》に立《た》たないが、ブロリーの覚醒《かくせい》の起爆剤《きばくざい》くらいにはなるかもしれない。

残忍《ざんにん》な薄《うす》ら笑《わら》いを浮《う》かべた顔《かお》で振《ふ》りかえったフリーザは、人差《ひとさ》し指《ゆび》をちょいとあげる。

「？　な、あああ……！」

顔《かお》をあげたパラガスは、サッと青《あお》ざめた。フリーザの指先《ゆびさき》が、自分《じぶん》をねらっていたからだ。

「ふむ」

恐怖《きょうふ》におびえるパラガスへ、フリーザはなんのためらいもなく指先《ゆびさき》からビームを発射《はっしゃ》した。

光線《こうせん》は一直線《いっちょくせん》に胸《むね》をつらぬき、パラガスはあっけなくその場《ば》に倒《たお》れる。

その体《からだ》を満足《まんぞく》そうに見《み》おろして、フリーザはコホン、とせきばらいをひとつ。

わざとらしい演技《えんぎ》でブロリーを呼《よ》ぶ。

「ブロリーさん！　これを見《み》なさい!!　ブロリーさん!!　お父《とう》

様《さま》が殺《ころ》されてしまいました!!」

悟空《ごくう》とバトルを続《つづ》けていたブロリーは、声《こえ》のしたほうに顔《かお》をむけて、ハッと目《め》を見開《みひら》いた。

「!? があ……っ」

ブロリーの体《からだ》がわなわなとふるえだした。

殺《ころ》された――死《し》んだ? パラガスが――父親《ちちおや》が死《し》んだ。

ブロリーの中《なか》に、さまざまな感情《かんじょう》が噴《ふ》きだしてくる。

悲《かな》しみ、苦《くる》しみ、安堵《あんど》、焦燥《しょうそう》……

感情《かんじょう》がたくさんありすぎてよくわからない。

よい父親《ちちおや》なのか悪《わる》い父親《ちちおや》なのか、それすらブロリーには判《はん》断《だん》がつけられない。そもそも物心《ものごころ》ついたときにはパラガスしかいなかったのだ。くらべようがない。

けれど、パラガスの死《し》は、ブロリーに確実《かくじつ》に衝撃《しょうげき》を与《あた》えた。

不安定《ふあんてい》な気持《きも》ちがつもりにつもって、イライラと怒《いか》りの感《かん》情《じょう》を連《つ》れてくる。

「あああああああああ!!」

頭《あたま》をかきむしりながら、ブロリーは天高《てんたか》く叫《さけ》んだ。

体《からだ》の内側《うちがわ》から力《ちから》のかたまりを爆発《ばくはつ》させて、強力《きょうりょく》な緑《みどり》のオーラがブロリーを包《つつ》む。

「があああああっ!!!」

ふたたび前進《ぜんしん》を始《はじ》めたブロリーのひとみからは人間《にんげん》らしい光《ひかり》が消《き》え、まるで理性《りせい》を失《うしな》った獣《けもの》のようだ。

超《スーパー》サイヤ人《じん》のように逆立《さかだ》つ髪《かみ》は金色《きんいろ》で、すさまじいオーラがまるで柱《はしら》のようにあがっている。

「やった!　成功《せいこう》しましたよ!!」

超《スーパー》サイヤ人《じん》ブロリーの誕生《たんじょう》に、フリーザは子供《こども》のようにはしゃいだ声《こえ》をだした。

「ぐぅああああああ!!!」

地面《じめん》をふるわせるような激《はげ》しい咆哮《ほうこう》とともに、ブロリーから凝縮《ぎょうしゅく》された緑《みどり》の光《ひかり》の玉《たま》が、無数《むすう》に降《ふ》りそそぐ。

そこらじゅうに着弾《ちゃくだん》した光《ひかり》の玉《たま》は爆発《ばくはつ》し、パラガスの死体《したい》さえ消《け》し飛《と》ばした。

だがブロリーの目《め》にはもうなにも入《はい》っていないようだ。

ブロリーの発《はっ》する緑《みどり》のオーラが巨大化《きょだいか》し、ひとつの大《おお》きなエネルギー玉《だま》となる。

「――くっ」

地面《じめん》をけずりながらせまってくる玉《たま》を、悟空《ごくう》は上空《じょうくう》に飛《と》んでよけた。

気《き》づいたブロリーはすかさずあとを追《お》ってくる。

「なにをぐだぐだやっている！　バカめ！」

その状況《じょうきょう》に業《ごう》を煮《に》やしたのはベジータだ。

いてもたってもいられずに飛《と》びだして、悟空《ごくう》に空中《くうちゅう》でならぶ。

「一対一《いったいいち》にこだわっている場合《ばあい》じゃないだろう！」

「くやしいが……そうらしいな」

ものすごいスピードでせまりくるブロリーを見《み》ながら、ベジータも一気《いっき》にブルーに変身《へんしん》した。

「「ハッ！」」

それから二人《ふたり》は一直線《いっちょくせん》にブロリーにむかって飛《と》びだした。

悟空《ごくう》のパンチ、ベジータのキックが同時《どうじ》に炸裂《さくれつ》する！

だがブロリーにはダメージはないようだ。


ガガガッ！　バシッ！　ガキッ！


悟空《ごくう》とベジータは次々《つぎつぎ》に攻撃《こうげき》を連係《れんけい》して繰《く》りだすが、すべて見切《みき》られている。

すぐに攻撃《こうげき》に転《てん》じられ、ブロリーは二人《ふたり》に無数《むすう》の気砲《きほう》をはなってきた。

「やるぞ、ベジータ！」

追撃《ついげき》から逃《のが》れながら、悟空《ごくう》が声《こえ》をかける。

「チッ！　くそったれが……！」

地面《じめん》ギリギリを飛《と》んで逃《に》げながら、二人《ふたり》は背中《せなか》をあわせてふりかえった。

そして一瞬《いっしゅん》のすきをついて――

「ギャリック砲《ほう》!!」

「かめはめ波《は》!!」

同時《どうじ》に二人《ふたり》の技《わざ》がはなたれた!

ところがブロリーはひるむ様子《ようす》もない。両手《りょうて》に気弾《きだん》を作《つく》ると、合体《がったい》してむかってくる悟空《ごくう》たちの波動《はどう》にぶつけ、吹《ふ》き飛《と》ばしてしまう。

追《お》いつめられていく悟空《ごくう》とベジータを見《み》ながら、フリーザはうっとりとほほえんだ。

「いいですねぇ。そんな顔《かお》を待《ま》ってましたよ……」

そうだ、もっとだ。もっとやってしまいなさい。

フリーザは高《たか》みの見物《けんぶつ》とばかりに闘《たたか》いを見《み》ている。と、ブロリーの攻撃《こうげき》をギリギリでよけながら飛《と》んでいた二人《ふたり》がとつぜんフリーザのほうに方向《ほうこう》を変《か》えた。

「!?」

そしてフリーザの目《め》の前《まえ》で、二手《ふたて》にわかれる。

次《つぎ》の瞬間《しゅんかん》、ブロリーがフリーザの目《め》の前《まえ》にいた。

「おっ、お待《ま》ちなさい！　わたしはフリーザですよ!!」

驚《おどろ》き、思《おも》わず後《あと》ずさるフリーザに、ブロリーは咆哮《ほうこう》をあげ襲《おそ》いかかる！

「があああああ！」

「ぎゃあああああっ!!」

だれであろうと、いまのブロリーにはまったく関係《かんけい》がないようだ。目《め》の前《まえ》にいれば、全員敵《ぜんいんてき》だ。

「がっ！　ああ！　あああああ!!」

光弾《こうだん》と激《はげ》しい連打《れんだ》を打《う》ちこまれて、フリーザはなす術《すべ》もなく吹《ふ》っ飛《と》ばされる。

「ベジータ、いまだ！　こっちに！」

攻撃対象《こうげきたいしょう》がうつっているいまがチャンスだ。

「な、なんだ？」

ベジータの手《て》をつかんだ悟空《ごくう》は、素早《すばや》い動《うご》きで額《ひたい》に指《ゆび》をあて、瞬間移動《しゅんかんいどう》する！

シュンッ！

「ぐ……はぁはぁはぁ！」

「！」

とつぜん自分《じぶん》の背後《はいご》にあらわれた悟空《ごくう》とベジータに、ピッコロは驚《おどろ》いて振《ふ》りかえった。

二人《ふたり》とも想像以上《そうぞういじょう》にボロボロの姿《すがた》で、地面《じめん》にひざをつき、荒《あら》い息《いき》をしている。

こちらに着《つ》いたとたんに、二人《ふたり》のオーラも散《ち》ってしまった。

「おいっ！　いったいなにが起《お》こっているんだ！」

「いそぐんだ、話《はなし》はあとで。ピッコロ、仙豆《せんず》持《も》ってねえか？」

ピッコロの問《と》いかけに、悟空《ごくう》は荒《あら》く息《いき》をついたままで言《い》う。

しかしピッコロはむずかしい顔《かお》で首《くび》を横《よこ》に振《ふ》った。

「いや、持《も》ってない」

「えっ」

ここにきたのは、仙豆《せんず》を求《もと》めてのことだったらしい。ピッコロの眉間《みけん》にしわがよる。

悪《わる》くはない案《あん》だった。仙豆《せんず》があれば、ダメージはすべて回復《かいふく》できた。

けれど、ないものはない。

悟空《ごくう》は少《すこ》し考《かんが》えて、思《おも》いついたように顔《かお》をあげた。

「………おい、ベジータ。フュージョンって技《わざ》、知《し》ってっか？」

「フュージョン？　ああ、そういえばトランクスから聞《き》いたことはある……」

うなずいて、ベジータはハッと目《め》をむいた。

悟空《ごくう》の言《い》いたいことに気《き》づいたのだ。

「くだらない動《うご》きをして合体《がったい》する技《わざ》か!?」

「ああ！　フュージョンするぞ！」

「ふざけるな！　キサマと合体《がったい》なんてするか！」

おかしな動《うご》きで合体《がったい》するなど、ベジータのプライドが許《ゆる》さない。

けれど悟空《ごくう》は言《い》い聞《き》かせるように、前《まえ》に出《で》た。

「三十分間《さんじゅっぷんかん》だけだ！　前《まえ》にも界王神様《かいおうしんさま》のポタラで合体《がったい》したじゃねえか！　ポタラはここにねえし、フュージョンするしかあいつに勝《か》てねえぞ！」

「……くっ。合体《がったい》はやむをえんとして……」

状況《じょうきょう》が状況《じょうきょう》だ。ブロリーの強《つよ》さを実感《じっかん》している者《もの》として、ベジータにだってわかっている。

だが！

「こんな、こんな、こんなっ！」

トランクスが何度《なんど》も見《み》せてくれたせいで、覚《おぼ》えてしまった奇《き》っ怪《かい》な動《うご》きをいきおいでしながら、ベジータは怒《いか》りと恥《は》ずかしさで体《からだ》がふるえた。

「こんな動《うご》きをオレにしろって言《い》うのか!?」

「これじゃねえと勝《か》てねえ！　地球《ちきゅう》がなくなっちまうかもしれねえんだぞ」

悟空《ごくう》もフュージョンに必要《ひつよう》な最後《さいご》のポーズをきめながら言《い》う。

かさなりそうになった指先《ゆびさき》をはなして、腕《うで》を組《く》み、ベジータは「ふん」とうしろをむいた。

「だったらそれも運命《うんめい》だ」

悟空《ごくう》の説得《せっとく》も、ベジータには関係《かんけい》がない。

そもそも母星《ぼせい》である惑星《わくせい》ベジータだってとっくの昔《むかし》に滅《ほろ》んでいるのだ。

そんなことくらいで感傷的《かんしょうてき》になるサイヤ人《じん》などいるものか。

「愛《あい》するブルマが死《し》んじまってもいいのか？」

だが悟空《ごくう》がはなった一言《ひとこと》に、ベジータはぐっと言葉《ことば》をのみこんだ。

「はっ、恥《は》ずかしいことを言《い》うな！　……チィッ」

愛《あい》だの恋《こい》だのという感情《かんじょう》が一番《いちばん》だとは思《おも》わない。強《つよ》くなるには関係《かんけい》のないくだらない感情《かんじょう》だと思《おも》っている。

だからこれは――そうだ。

単《たん》にいまよりもっと強《つよ》くなって、ブロリーを倒《たお》すために必要《ひつよう》なだけだ。

ベジータは、意《い》を決《けっ》して振《ふ》りかえった。

「わ、わかった！　さっさと教《おし》えろ!!」

やけくそ気味《ぎみ》に叫《さけ》ぶベジータに、悟空《ごくう》はニッと笑《わら》ってうなずいた。


やるときまったからには、まずは動作《どうさ》をしっかりマスターしなければならない。

「「フュ―――ジョン!!」」

まずは悟空《ごくう》とピッコロで、フュージョンポーズをして見《み》せる。

腕《うで》を大《おお》きく上《うえ》にまわして、同時《どうじ》に足《あし》をちょこちょこ動《うご》かし左右《さゆう》に移動《いどう》。

次《つぎ》に、伸《の》ばした腕《うで》を思《おも》いきり外側《そとがわ》に引《ひ》いて、片足《かたあし》をあげてピタリと止《と》まる。

このおかしなポーズをきめたまま、今度《こんど》は二人《ふたり》で大《おお》きく腰《こし》をひねり――

「「はっ!!」」

わきを伸《の》ばして上《うえ》にあげた指先《ゆびさき》を、相手《あいて》の指先《ゆびさき》にチョンッとあわせる!

これでフュージョンポーズの完成《かんせい》だ。

「な、なんという恥《は》ずかしいポーズだ……」

ひとまず見《み》ていろと言《い》われて凝視《ぎょうし》していたベジータは、想《そう》

像《ぞう》以《い》上《じょう》の恥《は》ずかしい動《うご》きに、わなわなと体《からだ》をふるわせた。

屈辱《くつじょく》だ。こんなポーズをしなければならないとは。

それもこれもブルマを守《まも》る――いや、あのいまいましいブロリーを倒《たお》すために必要《ひつよう》なのだ。

「これがフュージョンだ！　時《じ》間《かん》がないんだ。さあ、練習《れんしゅう》してみっぞ！」

それでも、できることならやりたくない。

「どうしたベジータ」

「くっ……死《し》んだほうがマシだ……」

屈辱《くつじょく》に、目《め》の奥《おく》が熱《あつ》くなってくる。

そこをぐっと我慢《がまん》して、ベジータは悟空《ごくう》にあわせて足《あし》をちょこちょこと動《うご》かした。

「「**フュ――――……**」」

左右《さゆう》にわかれて動《うご》きながら腕《うで》を伸《の》ばし、ポーズをきめ、腰《こし》をひねる。

「「**ジョン！　はっ!!**」」

つきだした指《ゆび》と指《ゆび》がチョンッとくっついて――

「むっ――」

しかしその指先《ゆびさき》が微妙《びみょう》にずれているのをピッコロは見《み》た。

フュージョンポーズの完成《かんせい》で、光《ひかり》の中《なか》に溶《と》けていく二人《ふたり》が徐々《じょじょ》に姿《すがた》を変化《へんか》させ——

中《なか》からあらわれたのは、ものすごく太《ふと》った悟空《ごくう》とベジータの合体《がったい》した姿《すがた》——

でぶベクウだった。

「「へへっ！　これで最強《さいきょう》だな！」」

どうだとばかりに拳《こぶし》をにぎったでぶベクウの腹《はら》がぽよんとはずむ。

まったく強《つよ》そうには見《み》えない姿《すがた》に、ピッコロが怒鳴《どな》った。

「だめだ！　指《ゆび》があっていない！　三十分後《さんじゅっぷんご》にもう一度《いちど》だ！」

「「いいっ!?」」

言《い》われて初《はじ》めて自分《じぶん》の姿《すがた》に気《き》づいたでぶベクウの口《くち》から、情《なさ》けない悲鳴《ひめい》があがったのだった。

「ぐっああああ!!」

悟空《ごくう》とベジータがフュージョンに失敗《しっぱい》し、三十分《さんじゅっぷん》はもどれないことなど知《し》らないフリーザは、

ゴールデンフリーザに変身《へんしん》してもなお、ブロリーによって殴《なぐ》られまくっていた。

「ががががっ！　ぎゃあああ！」

空中《くうちゅう》に放《ほう》り投《な》げられては連打《れんだ》を浴《あ》び、まさにサンドバッグ状態《じょうたい》だ。


「フュ―――ジョン！　はっ!!」

フリーザの犠牲《ぎせい》を尻目《しりめ》に、本日《ほんじつ》二度《ど》目《め》のフュージョンでは、指先《ゆびさき》はチョンッとかさなった。

「むむっ！」

しかし体《からだ》の角度《かくど》が、ほんの少《すこ》しちがったのだ。

フュージョンの光《ひかり》の中《なか》からあらわれたのは、さっきとは真逆《まぎゃく》の、げっそりやせたガリガリベクウだ。

「うわっ！」

登場《とうじょう》するなり、あまりの貧弱《ひんじゃく》さに、自分《じぶん》の体重《たいじゅう》を支《ささ》えきれずにがくんと地面《じめん》にひざをつく。

「全然《ぜんぜん》だめだな。二人《ふたり》の角度《かくど》が微妙《びみょう》にちがった。また三十分後《さんじゅっぷんご》だ」

肩《かた》でゼエハアと息《いき》をするガリガリベクウに、ピッコロは冷静《れいせい》に伝《つた》える。

それはつまり、三人《にん》のあずかり知《し》らぬところで、ゴールデンフリーザのサンドバッグタイムが延長《えんちょう》されたことを意味《いみ》していた。


そして、その三十分後《さんじゅっぷんご》――


「「フュ――ジョン！　はっ!!」」

三度目《どめ》の正直《しょうじき》とばかりにちょこちょこ移動《いどう》し、腕《うで》を動《うご》かした二人《ふたり》は、気合《きあ》いで指《ゆび》をつきだした。その指先《ゆびさき》がピタリとくっつく！

「ヌッ！」

けわしい表情《ひょうじょう》で細《こま》かい角度《かくど》まで見《み》ていたピッコロが、目《め》を見開《みひら》いた。

ピカッとあたりが光《ひかり》に包《つつ》まれ、二人《ふたり》のシルエットが中《なか》に吸《す》いこまれるようにして溶《と》けていく。

大《おお》きくかがやく光《ひかり》が収縮《しゅうしゅく》するとともに衝撃波《しょうげきは》があたりにひろがった。

「うっ!!」

ピッコロは、中《なか》からあふれてくる大《おお》きな気《き》を肌《はだ》で感《かん》じ、フュージョンの成功《せいこう》を確信《かくしん》した。

今度《こんど》こそ光《ひかり》の中《なか》からあらわれたのは、きたえあげられた筋肉《きんにく》に、余裕《よゆう》の表情《ひょうじょう》を浮《う》かべる二人《ふたり》の合体《がったい》した姿《すがた》――!

「よし! さっさと行《い》って倒《たお》してこい! ええと……なんて呼《よ》べばいい?」

ニヤリと口角《こうかく》をあげて聞《き》いたピッコロに、男《おとこ》は一瞬《いっしゅん》「「え」」といった顔《かお》をして、それからむずかしそうに首《くび》をひねる。

「「ポタラのときはベジットだっけ……じゃあ、えっと……」」

「もういい、早《はや》く行《い》け!」

自分《じぶん》で聞《き》きはしたものの、なければないで別《べつ》にいいのだ。

そんなことよりいまは倒《たお》さなければいけない敵《てき》がいる。

ピッコロにそううながされても、男《おとこ》はむずかしそうな顔《かお》をしたまま、首《くび》を横《よこ》に振《ふ》った。

「「そうはいかない……たしかに名前《なまえ》があったほうがかっこいいかも……今度《こんど》はえっと……」」

そんなに重要《じゅうよう》なことじゃないだろうが!

ピッコロの言葉《ことば》が喉元《のどもと》まで出《で》かかったところで、男《おとこ》は意気揚々《いきようよう》と顔《かお》をあげた。

「「ゴジータだ！」」

合体《がったい》した二人《ふたり》の中《なか》で、ほどよい名前《なまえ》をきめたらしい。

言《い》うなり、額《ひたい》に指《ゆび》をあて、ゴジータはふたたび瞬間移動《しゅんかんいどう》でブロリーのもとへもどっていった。

其之《その》九《きゅう》

時《じ》空《くう》を超《こ》えた闘《たたか》い

一方《いっぽう》そのころ氷《こおり》の大陸《たいりく》では――

ブロリーの攻撃《こうげき》によってできた岩壁《がんぺき》のクレーターにめりこみながら、ゴールデンフリーザは奇妙《きみょう》な笑《え》みを浮《う》かべていた。

「ぐぅ……ふふふ、すばらしい……なんというすばらしい戦闘《せんとう》力《りょく》！」

見《み》たこともないくらいボコボコにやられているというのに、まだブロリーを使《つか》うつもりでいるようだ。

けれどもブロリーのほうは、動《うご》けなくなったフリーザに興味《きょうみ》を失《うしな》ったらしい。

雄叫《おたけ》びをあげながら、ウイスにむかって飛《と》び去《さ》ってしまう。

ゆくえを追《お》って視線《しせん》をむけたフリーザの前《まえ》に、とつぜん見《み》たこともない男《おとこ》があらわれた。

「な……！　なんですか、あなた……！」

どこかで見《み》たことがあるようなないような、奇妙《きみょう》な既視感《きしかん》を覚《おぼ》える顔《かお》だ。

男《おとこ》がゆっくりと振《ふ》りかえる。

「ふん。オレはゴジータ。悟空《ごくう》とベジータが合体《がったい》したんだよ」

「……合体《がったい》？」

「おまえは長《なが》いこと死《し》んでたから知《し》らないだけだ。二人《ふたり》の強《つよ》さを足《た》しただけじゃないぞ、さらに大幅《おおはば》アップだ！」

自信《じしん》たっぷりに拳《こぶし》をにぎって見《み》せたゴジータからは、尋常《じんじょう》じゃない強《つよ》さを感《かん》じる。

合体《がったい》だなんて、そんな裏《うら》ワザは聞《き》いていない。

もしかすると、ゴールデンフリーザに成長《せいちょう》した自分《じぶん》よりも強《つよ》いんじゃないのか……

フリーザはクレーターからふらふらと体《からだ》を起《お》きあがらせて、思《おも》わず叫《さけ》んだ。

「ひ、卑怯《ひきょう》な!!」

「おまえ、よくそんなことが言《い》えるな……」

卑怯《ひきょう》はフリーザの専売特許《せんばいとっきょ》のようなものだろうに。

ゴジータは呆《あき》れ顔《がお》でフリーザを見《み》て、遠《とお》くでウイスに攻撃《こうげき》を始《はじ》めるブロリーに視線《しせん》をもどした。

額《ひたい》に指《ゆび》をあて、そちらへ瞬間移動《しゅんかんいどう》する！


シュンッ！


「ほいっと。こっちですよー」

ブロリーの重《おも》たいパンチも素早《すばや》い蹴《け》りも、ウイスはなんなくかわしていた。

地面《じめん》についた杖《つえ》を支点《してん》に、うしろにとんで着地《ちゃくち》する様子《ようす》は、むしろ優雅《ゆうが》にさえ見《み》える。

「があああああ!!」

「ほい、ほいっと」

いらだちまかせに襲《おそ》いかかるブロリーの攻撃《こうげき》をよけ、ひょいっとさがったウイスの前《まえ》に、ゴジータが瞬間移動《しゅんかんいどう》でやってきた。

「あら？」

「ウイスさん！　あとはオレにまかせてくれ！」

ゴジータの登場《とうじょう》で、ブロリーの動《うご》きが止《と》まった。

警戒《けいかい》するようにうなりながら、こちらを見《み》ている。

「あなたたち、合体《がったい》なんてできるんですねぇ」

「あー！　フュージョンってやつか！」

はなれた岩《いわ》かげで、かくれて見《み》ていたブルマも気《き》づいた。

まさかあのベジータが悟空《ごくう》と合体《がったい》してあらわれるとは思《おも》わなかったが、これで鬼《おに》に金棒《かなぼう》だ。

形勢逆転《けいせいぎゃくてん》も夢《ゆめ》じゃない。

「ぐうううぅ……」

うなるブロリーに、ゴジータはかまえたまま合図《あいず》を送《おく》った。

「こい！」

「があああ!!」

こたえるようにブロリーが飛《と》びだす！

ものすごいスピードで二人《ふたり》は一気《いっき》に上昇《じょうしょう》した。

「がああああああ!!!」

一瞬早《いっしゅんはや》く上空《じょうくう》に抜《ぬ》けたゴジータに、追《お》うブロリーが無数《むすう》の

光弾《こうだん》を打《う》ってくる。

華麗《かれい》によけたゴジータは、ブロリーのほうへと向《む》きなおった！

「へへっ。いっちょ行《い》くぜえ！　**ぬうう——おおおおお!!**」

気合《きあ》いのかけ声《ごえ》とともに力《ちから》を解放《かいほう》したゴジータの髪《かみ》が、金色《きんいろ》にそまった。

超《スーパー》サイヤ人《じん》ゴジータの完成《かんせい》だ！

超《スーパー》サイヤ人《じん》ブロリーと、空中《くうちゅう》でそのまま激突《げきとつ》する。

ドガッ！　ゴッ！　バキッ！

顔《かお》にパンチを受《う》けたゴジータが、すかさずブロリーを殴《なぐ》りかえす。

「**ぐう！**」

どん、とブロリーが吹《ふ》っ飛《と》ばされる！

首《くび》を軽《かる》く振《ふ》って体勢《たいせい》をととのえると、ふたたび対峙《たいじ》し、殴《なぐ》りあいにもどってくる。

こんどは腹《はら》にゴジータのヒジがつきささった。

「**ぐおっ！**」

体《からだ》を曲《ま》げたブロリーの顔面《がんめん》を蹴《け》りが襲《おそ》い、地面《じめん》へとたたきつけられる。

ゴジータはすぐさまそこに、光弾《こうだん》をシャワーのように降《ふ》り注《そそ》がせた。くらったブロリーはもんどりをうつ！　けれどすぐにオーラを体《からだ》にまとわせてバリアを作《つく》り、むかってきた！

「**「でやあっ！」**」

「**があああっ！**」

ゴジータはどこか、そんなやりとりを楽《たの》しんでいるように見《み》えた。

二人《ふたり》は消《き》えたりあらわれたりの高速移動《こうそくいどう》をしながら、激突《げきとつ》しては、攻防《こうぼう》するを繰《く》りかえす。

「**だだだだ!!**」

「**おおおおお!!**」

そうして、二人《ふたり》は距離《きより》を取《と》り、同時《どうじ》に超《ちょう》エネルギー波《は》を撃《う》ちはなった！

ズガァァァァアッ!!!!

高《こう》エネルギーが干渉《かんしょう》して、一気《いっき》にはじける！

そのいきおいで時空《じくう》がゆがみ、二人《ふたり》は割《わ》れた次元《じげん》の壁《かべ》の中《なか》で、さらに激《はげ》しくぶつかりあう。

かつてないパワーとパワーのぶつかりあいだ。

「**はぁぁぁあっ！**」

「**があああっ！**」

ほんのわずかに押《お》され気味《ぎみ》のブロリーが、焦《じ》れて叫《さけ》ぶ。

「**うおおおおおおっ！**」

ためた気《き》を放出《ほうしゅつ》すれば、ブロリーの体《からだ》に変化《へんか》があらわれはじめた。

筋肉《きんにく》が盛《も》りあがり、逆立《さかだ》つ髪《かみ》は緑《みどり》に変《か》わる！

ゴジータが驚《おどろ》きに目《め》を見開《みひら》いた。

超《スーパー》サイヤ人《じん》ブロリーのフルパワーだ！

放出《ほうしゅつ》されるあまりのオーラに、次元《じげん》がさらに壊《こわ》れはじめる。

「はあぁっ！」

超《スーパー》サイヤ人《じん》ゴジータが殴《なぐ》りかかる！　だがヒットしたはずのパンチが、まるで効《き》いていない。

「があぁっ！」

「ぐっ!?」

逆《ぎゃく》にきまったフルパワーの超《スーパー》サイヤ人《じん》ブロリーのパンチで、ゴジータは壁《かべ》に吹《ふ》っ飛《と》ばされてしまった。

ガハッと息《いき》をついたゴジータに、ブロリーがすかさずひじ打《う》ちを加《くわ》える。

「くっ……！」

このままでは不利《ふり》だと悟《さと》ったゴジータも、さらに気《き》を練《ね》りあげて、パワーをためる。

「はあああああぁっ!!」

金色《きんいろ》だったゴジータの髪色《かみいろ》が、神《かみ》の青《あお》へと変《か》わってゆく。

パワーアップしたゴジータが**超《スーパー》サイヤ人《じん》ゴッド超《スーパー》サイヤ人《じん》**になったのだ！

「ありゃりゃりゃりゃあ!!」

その力《ちから》は圧倒的《あっとうてき》だ。

ブロリーを追《お》いかけ、殴《なぐ》って殴《なぐ》って、打《う》ちつける。

すきをつき起《お》きあがったブロリーが、口《くち》からエネルギー波《は》をはなって逃《に》げるも、超《スーパー》サイヤ人《じん》ブルーのゴジータは、あっというまに追《お》いついて、正面《しょうめん》からガシッと組《く》みあう。

その衝撃《しょうげき》で空間《くうかん》がさけ、二人《ふたり》は氷《こおり》の大地《だいち》に舞《ま》いもどる！

「うおおおおっ！」

「があああっ！」

激《はげ》しく雄叫《おたけ》びをあげるブロリーは、好戦的《こうせんてき》でするどい視線《しせん》をむけながら、ゴジータにむかって飛《と》びだしていく。

「このままじゃ、ブロリーはやられるぞ！」

キコノに預《あず》けられたドラゴンボールをかかえた、レモが言《い》った。

チライにだって、そんなことはわかっている。

チライは宇宙船内《うちゅうせんない》のどこかにむかっていきおいよく駆《か》けだした。

「あいつは父親《ちちおや》のせいで、ただの戦闘《せんとう》マシンにされたんだ。闘《たたか》いたくて闘《たたか》ってるんじゃない！　ブロリーは、ホントは純粋《じゅんすい》で心《こころ》やさしいサイヤ人《じん》なんだ！」

あわててレモもそのあとを追《お》う。

「死《し》なすわけにはいかないよ!!」

廊下《ろうか》の奥《おく》へと駆《か》けてゆくチライがしようとしていることを、

レモは察《さっ》した。
手《て》に持《も》っているのはドラゴンボール。
フリーザが願《ねが》いをかなえるために集《あつ》めたという不思議《ふしぎ》な玉《たま》だ。
これを使《つか》って、闘《たたか》いを止《と》めることができれば――!

ゴジータとブロリーの闘《たたか》いは、少《すこ》しずつ力《ちから》の差《さ》が見《み》えてきていた。

「**うぉおおおおお!**」

超高速《ちょうこうそく》でつっこんできたブロリーが、ゴジータにエネルギー弾《だん》をはなつ!

「**はあぁっ!!**」

だが、気合《きあ》いとともに腕《うで》を振《ふ》り、光弾《こうだん》の膜《まく》を発生《はっせい》させ

たゴジータによって、エネルギー弾《だん》はすべてブロリーにはねかえされた。

「**ぐあぁあっ**」

ブロリーの顔面《がんめん》にクリーンヒットする！

激痛《げきつう》に叫《さけ》ぶブロリーへ——

ズガッ!!

ゴジータの蹴《け》りが容赦《ようしゃ》なく炸裂《さくれつ》した！

「**ぬぐぅあーっ!!**」

よろめきさがるブロリーに、ゴジータは光弾《こうだん》を連射《れんしゃ》する！

「**ありゃりゃりゃりゃりゃっ!!**」

「**ぐあああああああっ！**」

大量《たいりょう》の光弾《こうだん》が次《つぎ》から次《つぎ》へと着弾《ちゃくだん》して、炎《ほのお》の中《なか》のブロリーがひどくもがきだす。

闘《たたか》いの興奮《こうふん》にいろどられたゴジータが、さらに光弾《こうだん》をはなとうとかまえたそのとき。

――あたりの空《そら》が、とつぜん墨《すみ》をはいたように黒《くろ》くそまった。

「……？」

動《うご》きを止《と》めたゴジータが空《そら》を見《み》あげる。

少《すこ》しはなれたところにあるフリーザの宇宙船《うちゅうせん》の近《ちか》くで、見覚《みおぼ》えのある神々《こうごう》しいかがやきが、地《ち》上《じょう》から空《そら》へとあがっていた。

「……っ」

フリーザも、その変化《へんか》がもたらす意味《いみ》に気《き》づいたようだ。

昇《のぼ》っていくまばゆい銀《ぎん》のかがやきを、ギッとにらみあげていた。

宇宙船《うちゅうせん》のすぐそばでは――

地上《ちじょう》に置《お》かれた七つのドラゴンボールは燦然《さんぜん》とかがやきをはなちながら、濃《こ》い雲《くも》におおわれた空《そら》に神龍《シェンロン》の姿《すがた》を浮《う》かびあがらせた。

緑《みどり》のウロコにおおわれた巨大《きょだい》な龍《りゅう》が、するどくとがった歯《は》を見《み》せて、大《おお》きな口《くち》をがぱりと開《ひら》く。

『どんな願《ねが》いもひとつだけかなえてやろう……』

おごそかな声音《こわね》で、神龍《シェンロン》が告《つ》げる。

どんな、願《ねが》いも。

神龍《シェンロン》を呼《よ》びだした張本人《ちょうほんにん》であるチライは、じっと空《そら》にただよう神龍《シェンロン》を見《み》つめた。

チライの計画《けいかく》はこうだ。

ドラゴンボールをうばい、先《さき》に願《ねが》いをかなえる。

単純《たんじゅん》にして明快《めいかい》だ。願《ねが》いはある。けれど願《ねが》いのかなえ方《かた》がわからない。

だからチライは、キコノを銃《じゅう》でおどして、神龍《シェンロン》を呼《よ》びだしたのだ。

「で？　どうすりゃいいんだよ」

「ぐぅ……」

「早《はや》く言《い》えよ！」

背中《せなか》につきつけた銃《じゅう》でぐりぐりと押《お》すが、キコノはくやしそうにうなるだけだ。

時間《じかん》かせぎのつもりなのか、一向《いっこう》に口《くち》を割《わ》ろうとしないキコノに、チライは声《こえ》を荒《あら》らげた。

「もういい！　撃《う》つ！」

「わ、わかった！　言《い》う！」

チライのおどしを本気《ほんき》と見《み》て、キコノはあわててメモを取《と》りだした。

神龍《シェンロン》の呼《よ》びだし方《かた》、それに願《ねが》いのかなえ方《かた》の手順《てじゅん》を、フリーザに命《めい》じられて調《しら》べたときに書《か》いたメモだ。

「そ、そのまま願《ねが》いを……言《い》え……」

「なんだ……それだけかよ」

チライは少《すこ》し拍子抜《ひょうしぬ》けした。

けれど、それだけなら簡単《かんたん》だ。

「あたしの願《ねが》いは！」

チライは、ぐっと神龍《シェンロン》を見《み》あげ、はっきりと願《ねが》いを口《くち》にする。

「ブロリーを!!」

ブロリーは本当《ほんとう》はやさしいヤツだ。

残酷《ざんこく》な闘《たたか》いが好《す》きなわけじゃ決《けっ》してない。

彼《かれ》が楽《たの》しそうに話《はな》していたのは、あの毛皮《けがわ》のバアという生《い》き物《もの》との交流《こうりゅう》だったし、サンキューも言《い》えるようになった。

純粋《じゅんすい》で、すごくいいヤツだ。だから。


動《うご》きの止《と》まったゴジータと対峙《たいじ》するブロリーは、空《そら》の変化《へんか》などどうでもよかった。

それよりも、くやしさでブロリーはぎりりと奥歯《おくば》をかみしめる。

どうやってもいま一歩《いっぽ》ゴジータに敵《かな》わない。もどかしさでどうにかなってしまいそうだ。

「ぐぅああああああああ!!」

叫《さけ》び、ブルーゴジータへと飛《と》ぶようにつっこむ！
空《そら》を見《み》あげていたはずのゴジータは、ジャンプでよけると、その足《あし》でブロリーを蹴《け》り飛《と》ばす！

「うがあああああっ！」

「はああっ！」

ゴジータの追《お》い打《う》ちの蹴《け》りがぶちこまれ、さらにうしろに吹《ふ》っ飛《と》ばされる。

「ぐっ、があっ、はぁはぁはぁっ」

なんとか体勢《たいせい》を立《た》てなおしたブロリーも、ゴジータへと拳《こぶし》をむける。
その拳《こぶし》から発射《はっしゃ》された拡散《かくさん》ビームはまっすぐゴジータにつっこむが、姿勢《しせい》を低《ひく》くしてかわしたゴジータが、ブロリーへと飛《と》びあがるようにジャンプ！　顔面《がんめん》パンチをきめる！
吹《ふ》っ飛《と》ばされたブロリーが地面《じめん》に激突《げきとつ》するやいなや、ゴジータの拳《こぶし》がまたきまる！

「がっ！　ああ！　あっ、ぐあっ、がっ!!」

ブロリーにはなす術《すべ》がなかった。

ゴジータの圧倒的《あっとうてき》なパワーとスピードを乗《の》せた攻撃《こうげき》は次々《つぎつぎ》ときまり、ブロリーの体《からだ》が後退《こうたい》していく。

「はあああああっ!!!」

フルパワーの一発《いっぱつ》がまともにブロリーの腹《はら》に突《つ》き刺《さ》さった。

さらに一発《いっぱつ》！　そしてもう一発《いっぱつ》!!

悶絶《もんぜつ》するブロリーを宙《ちゅう》に飛《と》ばしたゴジータは、ブルーのオーラでその場《ば》に釘《くぎ》づけにする。

逃《のが》れられない拘束《こうそく》の強《つよ》さに、ブロリーがもがく。

「があああああっ！」

「はあああああああああっ！」

周囲《しゅうい》にすさまじい衝撃波《しょうげきは》をもたらしながら、オーラを最高潮《さいこうちょう》に高《たか》めたゴジータが、ゆっくりと両手《りょうて》をあわせる。

そうして腰《こし》に引《ひ》き、エネルギーをかまえた手《て》のひらに集中《しゅうちゅう》させて——

「「かーめーはーめーー……」」

「あ……う、く……」
衝撃波《しょうげきは》にあおられていたブロリーのひとみに、
正気《しょうき》がもどる。だが――

「「波《は》ああああああっ!!!」」

巨大《きょだい》な熱量《ねつりょう》を持《も》ったかめはめ波《は》が、
ブロリーへとつき進《すす》み――!

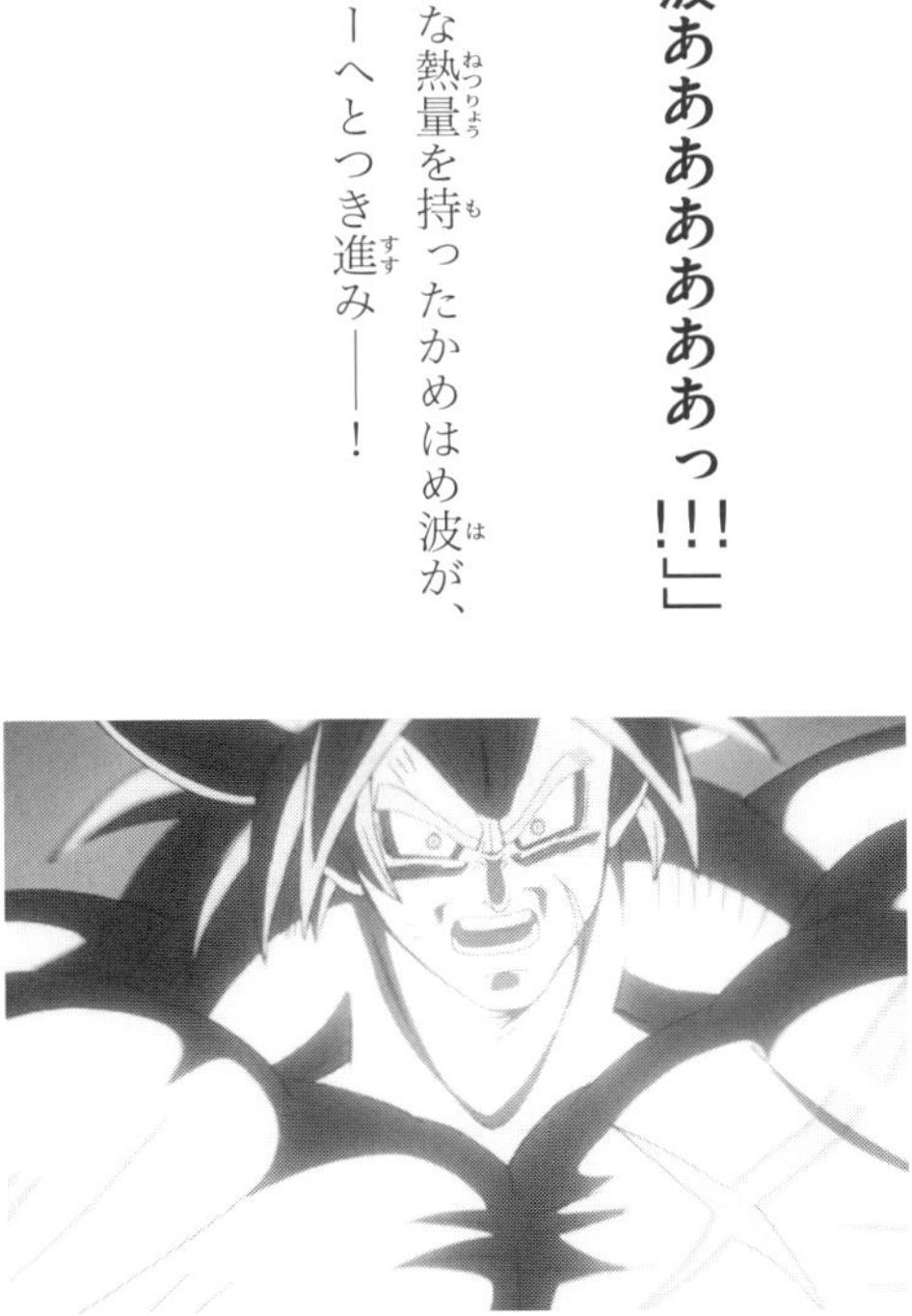

「ブロリーを元《もと》いた星《ほし》に帰《かえ》してやってくれ――――!!!」

気合《きあ》いを入《い》れて叫《さけ》んだチライの願《ねが》いは、いままさにゴジータからはなたれた超特大《ちょうとくだい》かめはめ波《は》によって吹《ふ》き飛《と》ばされんとしていたブロリーを、タッチの差《さ》で消《け》し去《さ》った。

倒《たお》すべき敵《てき》のいなくなったかめはめ波《は》は、そのまま宇宙空間《うちゅうくうかん》へとつき進《すす》み、明滅《めいめつ》しながら、見《み》えなくなった。

『願《ねが》いはかなえられた……さらばだ』

神龍《シェンロン》はおごそかにそう告《つ》げると、全身《ぜんしん》が銀色《ぎんいろ》の光《ひかり》で包《つつ》まれて、地上《ちじょう》の玉《たま》の中《なか》にもどっていく。

そしてドラゴンボールは空高《そらたか》くのぼり、

ヒュンッ、ヒュンッ、ヒュン――ッ

世界《せかい》に飛《と》び散《ち》ると、ふたたび空《そら》には明《あか》るさがもどる。

とつぜん消《き》えたブロリーのゆくえを追《お》うように見《み》あげてい

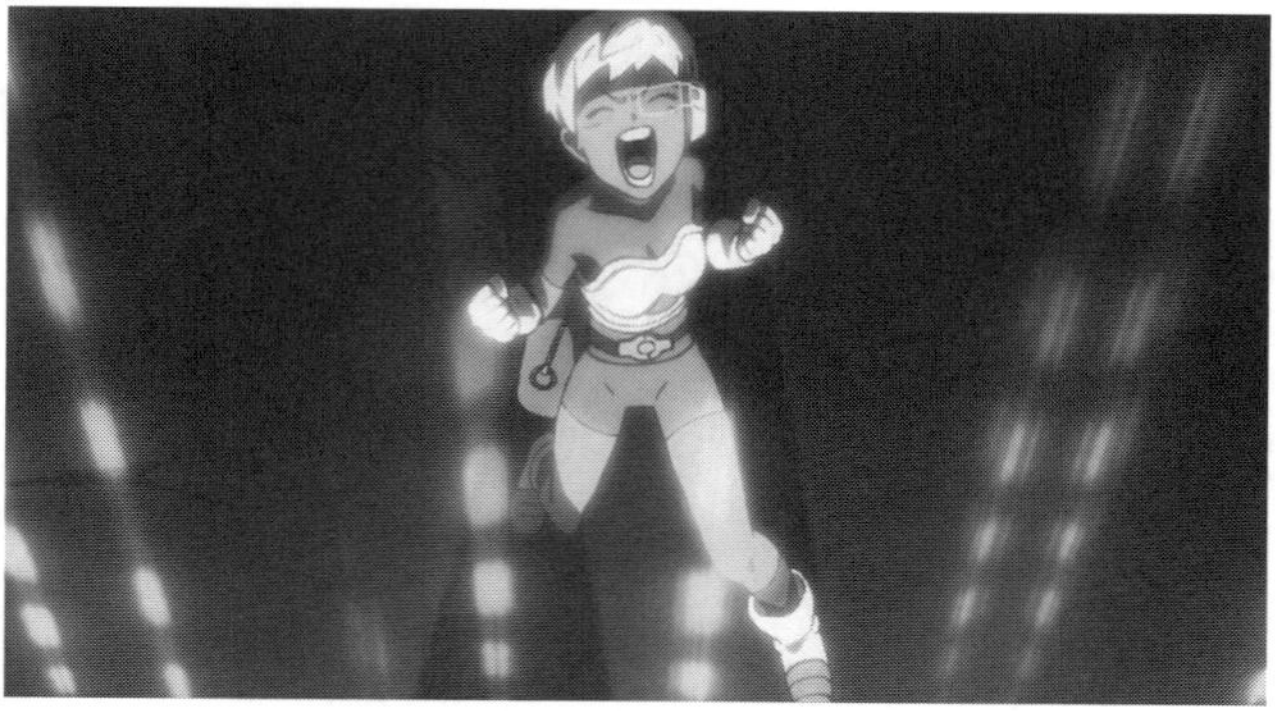

たゴジータは、フッと表情《ひょうじょう》をゆるめた。

「……」

「……」

あたりに静寂《せいじゃく》が落《お》ちる。

チライとキコノはどこか呆然《ぼうぜん》とした様子《ようす》で、明《あか》るさを取《と》りもどした空《そら》に消《き》えたドラゴンボールを見送《みおく》り、それからハッと我《われ》に返《かえ》った。

「「ああ……！」」

キコノにとってチライはとんでもない裏切《うらぎ》り者《もの》で、チライもうフリーザ軍《ぐん》にはいられない。

ひとまず逃《に》げだそうとしたチライの前《まえ》に、小型宇宙船《こがたうちゅうせん》が飛《と》びだしてきた。

操縦席《そうじゅうせき》からレモが叫《さけ》ぶ。

「乗《の》れ！　チライ！」

その声《こえ》を聞《き》き、チライは降《お》りてきた小型船《こがたせん》に迷《まよ》わず飛《と》び乗《の》った。

「はっ！」

すべりこむように乗《の》りこんだチライを確認《かくにん》し、レモがハッチを閉《し》めつつ小型船《こがたせん》を上昇《じょうしょう》させる。

その様子《ようす》を地上《ちじょう》から見《み》ていたゴールデンフリーザは、小型船《こがたせん》へと人差《ひとさ》し指《ゆび》をむけた。

飛《と》びさる動《うご》きにあわせて照準《しょうじゅん》をさだめ――

「「おっと!」」

「…………」

撃《う》ち落《お》とす直前《ちょくぜん》、それを察《さっ》し瞬間《しゅんかん》移動《いどう》してきたゴジータに手《て》をつかまれる。

「「へへ」」

笑《わら》ってはいるが、これは無言《むごん》の圧力《あつりょく》だ。

さきほどあれだけ圧倒的《あっとうてき》な力《ちから》の差《さ》を見《み》せつけられているフリーザに、いま抵抗《ていこう》してまで彼《かれ》らを撃《う》ち落《お》とすメリットはない。

「ふん!」

指先《ゆびさき》に集中《しゅうちゅう》させていたエネルギー弾《だん》を消《け》して、フリーザはゴールデンフリーザの形態《けいたい》を解除《かいじょ》した。ゴジータの手《て》を振《ふ》りほどく。

「……またきますからね」

母船《ぼせん》にむかって歩《ある》きながら、フリーザは振《ふ》りむかずにそれだけを告《つ》げた。

そのころ、遠《とお》くはなれた南《みなみ》の島《しま》では、サマーベッドに寝転《ねころ》んだビルスの腹《はら》の上《うえ》で、ブラが楽《たの》しそうに遊《あそ》んでいた。

「あ〜っぷ、あぷぷ……」

まわりにはビルスがあやすのに使《つか》った育児《いくじ》グッズが散乱《さんらん》している。

くつろぎながら、ビルスはちらりと片目《かため》をあけて、夕焼《ゆうや》けの空《そら》を見《み》つめた。

「うん……なんとかなったようだな」

衝突《しょうとつ》していた大《おお》きな気配《けはい》のゆくえを追《お》って、ビルスはふたたび眠《ねむ》りについたのだった。


フリーザ軍《ぐん》から逃《に》げだしたレモとチライは、そのまままっすぐ宇宙《うちゅう》へと飛《と》びたっていた。

「悪《わる》かったね。あんたを巻《ま》きこんじゃったよ」

操縦席《そうじゅうせき》のレモへと、チライがうしろからのぞきこみながら言《い》う。

「気《き》にするな」

オートパイロットに切《き》り替《か》えながら、レモが振《ふ》りかえる。

「フリーザ軍《ぐん》に入《はい》って、いまのが一番《いちばん》スリルがあって楽《たの》しかった」

悪《わる》だくみが成功《せいこう》したような言《い》い方《かた》に、チライは思《おも》わず笑顔《えがお》になった。

二人《ふたり》で宇宙船《うちゅうせん》の窓《まど》から外《そと》を見《み》つめる。

小《ちい》さな星々《ほしぼし》の連《つら》なる小惑星帯《しょうわくせいたい》を抜《ぬ》けて進《すす》む宇宙船《うちゅうせん》は、いつまでこうしていられるだろう。

窓《まど》の外《そと》を見《み》ながら、チライはぽつりとつぶやいた。

「……追《お》ってくるかな」

「さあな……で、チライはどこに行《い》くつもりだ？」

「ブロリーの星《ほし》だよ」

「バンパか……」

だいたい察《さっ》してはいたのだろう。

とくに驚《おどろ》いた様子《ようす》もなく惑星名《わくせいめい》を口《くち》にしたレモに、チライはうなずく。

それからレモに聞《き》いた。

「レモはどこの星《ほし》で降《お》りる？」

コンビもここで解消《かいしょう》だ。

フリーザ軍《ぐん》にはもどれないおたずね者同士《ものどうし》、これからは別々《べつべつ》の道《みち》を行《い》くのだ。

そう思《おも》っていたチライに、レモは「いや」と首《くび》を振《ふ》った。

航行《こうこう》プログラムのコンソールを呼《よ》びだして、惑星《わくせい》バンパに行《い》き先《さき》をあわせる。

「俺《おれ》もつきあうよ。どこにいても危険《きけん》なのは同《おな》じだしな」

目《め》を丸《まる》くしているチライの様子《ようす》をチラリと見《み》て、レモは操縦桿《そうじゅうかん》をぐいっとにぎった。

「うわっと！」

「強《つよ》いブロリーの近《ちか》くにいたほうが、まだ安心《あんしん》だろう」

スピードをあげた船内《せんない》で、よろけたチライに、にやりと笑《わら》う。

レモの言葉《ことば》で、チライの顔《かお》にも笑《え》みが浮《う》かんだ。

「じゃあ途中《とちゅう》で、食料《しょくりょう》とかいろいろ買《か》っていかなきゃな！」

まだこれからもいっしょの仲間《なかま》だ。

レモとチライと、そして——


「やはりあの二人《ふたり》は、ブロリーといっしょのようですね」

地球《ちきゅう》での闘《たたか》いから三日後《みっかご》。

銀河団《ぎんがだん》の宇宙地図《うちゅうちず》がのったタブレットで、バンパの位置《いち》を確認《かくにん》しながら、キコノはフリーザに報告《ほうこく》していた。

バンパを示《しめ》す記号《きごう》の位置《いち》に、点滅《てんめつ》する光《ひかり》がふたつある。

フリーザ軍《ぐん》から小型宇宙船《こがたうちゅうせん》を盗《ぬす》んで飛《と》びだした、レモとチライのスカウターの位置《いち》に反応《はんのう》しているものだ。

フリーザの命令《めいれい》さえあれば、二人《ふたり》を殺《ころ》しに行《い》くことはたやすい。

指示《しじ》を待《ま》つキコノとベリブルの視線《しせん》を受《う》けたフリーザは、考《かんが》えるように目《め》をつむった。

「しばらくそのまま泳《およ》がせておきましょう」

そうして出《だ》された指示《しじ》に、キコノは少《すこ》し驚《おどろ》いた。

だが、ベリブルはにやりと笑《わら》っている。

「あの二人《ふたり》に、ブロリーの精神《せいしん》コントロールをまかせ、我《われ》を失《うしな》うことなく、あのとてつもないパワーが出《だ》せるようになれば、それこそ最強《さいきょう》の戦闘員《せんとういん》になります」

指令席《しれいせき》に座《すわ》るフリーザはそう言《い》いながら、シッポをユラユラとご機嫌《きげん》にゆらした。

「……うまくいくでしょうか……」

そんなフリーザを見《み》あげるキコノは、ベリブルとちがい、少《すこ》し不安《ふあん》そうだ。

フリーザはキコノをちらりと見《み》おろし、窓《まど》の外《そと》にひろがる宇宙《うちゅう》へと目《め》をむけた。

「そうであってほしいですねえ。いくらわたしががんばって戦闘力《せんとうりょく》をあげても……、敵《てき》は孫悟空《そんごくう》とベジータの二人《ふたり》」

いまもほかの惑星《わくせい》では、フリーザ軍《ぐん》の戦闘員《せんとういん》が侵略《しんりゃく》し、勢力《せいりょく》を拡大《かくだい》し続《つづ》けている。

けれど、それだけでは足《た》りないのだ。

憎《にく》い復讐《ふくしゅう》の相手《あいて》、孫悟空《そんごくう》。同《おな》じく目《め》ざわりなベジータ。

今回《こんかい》の闘《たたか》いで、ヤツらを始末《しまつ》できる可能性《かのうせい》があらわれた。

「こっちだって、もうひとりくらいほしいですよ。ふふふ……」

彼《かれ》らがボコボコにされている姿《すがた》は、なんと爽快《そうかい》に見《み》えたことか。

思《おも》い出《だ》しながら、フリーザは残忍《ざんにん》な笑《え》みを浮《う》かべたのだった。

其之《その》十《じゅう》 カカロットの願《ねが》い

ブロリーのあとを追《お》って小惑星《しょうわくせい》バンパに到着《とうちゃく》したレモとチライは、合流《ごうりゅう》したブロリーに案内《あんない》された洞窟《どうくつ》の中《なか》にいた。もともとブロリーが暮《く》らしていた場所《ばしょ》らしい。

いったん洞窟《どうくつ》の外《そと》に出《で》て、もどってきた彼《かれ》の手《て》には、巨大《きょだい》ななにかの脚《あし》のようなものがあった。

「う……」

ボキリと折《お》ってさしだされたそれの中身《なかみ》を確認《かくにん》して、チライは顔《かお》をしかめた。

どろりとした気味《きみ》の悪《わる》い液体《えきたい》がたっぷりと見《み》える。

「ウソだろ……こんなのを食《た》べてたのか……」

ブロリーが厚意《こうい》から二人《ふたり》に食事《しょくじ》を取《と》ってきてくれたらしいことはわかったが、これを食《た》べるには勇気《ゆうき》が必要《ひつよう》だ。

チライはおそるおそる中《なか》の液体《えきたい》を指《ゆび》につけて、なめてみる。

「ぐっ……ま、まあ、にがいけど、飢《う》え死《じ》ぬよりマシ……って感《かん》じだな……」

それ以外《いがい》に言《い》いようのない味《あじ》だ。

チライの感想《かんそう》に、となりのレモも指《ゆび》を出《だ》して液体《えきたい》をすくう。

「げえ！　だ、だめだ、俺《おれ》は……！」

しかし、口《くち》に入《い》れたとたんに吐《は》きだしてしまった。

「贅沢《ぜいたく》言《い》うんじゃないよ。買《か》ってきた食料《しょくりょう》だけじゃ五十日《ごじゅうにち》ももたないんだからね」

レモにはかわいそうだが、それが現実《げんじつ》だ。

バンパに到着《とうちゃく》するまでに、当面《とうめん》の食料《しょくりょう》やブロリーの傷《きず》の手当《てあ》て用《よう》の薬《くすり》などを買《か》いこんできたが、それがなくなればあとは自分《じぶん》たちで調達《ちょうたつ》するしかないのだ。

レモが顔《かお》をしかめていると、不意《ふい》にブロリーが洞窟《どうくつ》の入《い》り口《ぐち》を振《ふ》りかえった。

「だれかきた」

「えっ？」

スカウターをつけていないブロリーがなぜわかったのかは知《し》らないが、ウソをつくような男《おとこ》ではない。とすれば、まさかフリーザ軍《ぐん》が追《お》ってきたのか。

かまえるブロリーのうしろで、レモとチライも警戒《けいかい》に身《み》をかたくする。

「おーい、入《はい》っていいかァ？」

洞窟《どうくつ》の入《い》り口《ぐち》からどこかのんびりとした声《こえ》が聞《き》こえた。

そして足音《あしおと》が近《ちか》づいてくる。

「あれ、だれだ？　おめえたち」

警戒《けいかい》する三人《にん》の前《まえ》にひょっこりとあらわれたのは、悟《ご》空《くう》だった。

意外《いがい》な登場人物《とうじょうじんぶつ》に、チライが驚《おどろ》いた声《こえ》を出《だ》す。

「お、おまえ！　地球《ちきゅう》のサイヤ人《じん》……！」

悟空《ごくう》はきょとんとした顔《かお》でレモとチライを見《み》て、「あ、そうか！」と指《ゆび》をさした。

「ドラゴンボールを使《つか》ってたフリーザ軍《ぐん》の！」

「なにしにきた!!」

腰《こし》のポシェットからとりあえずトンカチを取《と》りだして叫《さけ》ぶレモにかまわず、悟空《ごくう》はニコニコと笑《わら》いながらブロリーの前《まえ》までやってくる。

「ブロリーの仲間《なかま》だったのかー」

「なにしにきたって聞《き》いてるんだ！」

「まあ、そうカリカリすんなよ。闘《たたか》いにきたわけじゃねぇんだからさ」

笑顔《えがお》のまま、ブロリーに「よっ」と手《て》をあげる。

警戒《けいかい》しながら、レモとチライは、けげんそうに顔《かお》を見《み》あわせた。

「……じゃあなんだ」

チライが下《した》から悟空《ごくう》をするどくにらみつける。

けれど悟空《ごくう》はまったく気《き》にせず、持《も》っていた荷物《にもつ》をかかげて見《み》せた。

「ひどい星《ほし》だって聞《き》いたからさ、いろいろ持《も》ってきてやったんだ」

「よけいなお世話《せわ》だ。帰《かえ》んな。だまされないからね！」

「ははは！　これ、ブルマってヤツにたのんでもらってきたんだ」

強気《つよき》に前《まえ》へ出《で》てきたチライにかまわずに、悟空《ごくう》は荷物《にもつ》の中《なか》からホイポイカプセルのケースを取《と》りだす。

「ちょっとそこどいて、ほいっ」

ボウン！

投《な》げたカプセルが着地《ちゃくち》すると同時《どうじ》に、ドーム型《がた》のカプセルハウスがあらわれる。

「「えっ!?」」

初《はじ》めて見《み》る光景《こうけい》に、三人《にん》は驚《おどろ》きをかくせなかった。

「家《いえ》の中《なか》に水《みず》とか食料《しょくりょう》とか、いろいろいっぱい入《はい》ってっから」

「「おおお〜！」」

ハウスに駆《か》けよったレモとチライは、中《なか》を見《み》て思《おも》わず歓声《かんせい》をあげた。

部屋《へや》はひろく、快適《かいてき》だ。

「あとこれ、仙豆《せんず》ってんだけど……」

そんな二人《ふたり》に、悟空《ごくう》は荷物《にもつ》の中《なか》から仙豆《せんず》を二粒《ふたつぶ》取《と》りだしてわたす。

「二粒《ふたつぶ》やる。やべえ死《し》ぬってときに食《く》うといい。病気《びょうき》は無理《むり》だけど、ケガとかならすっかり治《なお》って、体力《たいりょく》も満《まん》タンになるぞ」

ニカッと笑《わら》う悟空《ごくう》に、チライは疑《うたが》いの視線《しせん》をむける。

そんなにいいものを、あれだけの死闘《しとう》を繰《く》りひろげた相手《あいて》にわたすなんて、裏《うら》があるとしか思《おも》えない。

「……なにをたくらんでるんだ？」

だが悟空《ごくう》は「えっ」と目《め》を丸《まる》くした。疑《うたが》われたことに驚《おどろ》いたようだ。

「そんなんじゃねえさ。元気《げんき》に生《い》きてろってだけだ」

「はあ？」

三人《にん》のやり取《と》りをきょとんとした顔《かお》で見《み》ていたブロリーにむきなおると、悟空《ごくう》はパッと明《あか》るく笑《わら》う。

「オラ、強《つよ》いのには自信《じしん》があったのに、もっとずっと強《つよ》いブロリーがあらわれてさ。しかもおんなじサイヤ人《じん》だ。たぶんビルス様《さま》より強《つよ》いぞ！　あ、ビルス様《さま》ってのは神様《かみさま》なんだけどさあ――」

悟空《ごくう》が興奮《こうふん》気味《ぎみ》に話《はな》す内容《ないよう》は、三人《にん》にはさっぱりわけがわからない。

強《つよ》い自分《じぶん》に自信《じしん》があって、なのにもっと強《つよ》い敵《てき》があらわれたら、ふつうはいやなものじゃないのか。

それにビルスってだれだ。神様《かみさま》？　意味《いみ》がわからない。

「とにかく！　そんなすごいヤツに死《し》なれちゃ、もったいねえだろ」

うれしそうにそう言《い》って、悟空《ごくう》はブロリーに視線《しせん》をあわせる。

ブロリーは、そこでやっと自分《じぶん》のことを言《い》っているのだとわかった。悪《わる》い気《き》はしない。それどころか、認《みと》められたようでなんだかちょっとうれしい気持《きも》ちだ。自然《しぜん》と小《ちい》さな笑《え》みを浮《う》かべたブロリーに、悟空《ごくう》は満足《まんぞく》して踵《きびす》を返《かえ》す。

「まあいいや。とりあえず元気《げんき》でな！」

なんとなく洞窟《どうくつ》の外《そと》までいっしょに出《で》たレモとチライは、「じゃ」と手《て》をあげて挨拶《あいさつ》をする悟《ご》空《くう》のまわりをきょろきょろと見《み》まわした。

「え、宇宙船《うちゅうせん》がない？」

悟空《ごくう》の乗《の》ってきたはずの宇宙船《うちゅうせん》は見《み》あたらない。

嵐《あらし》のない日中《にっちゅう》のバンパの、ただただ雄大《ゆうだい》な風景《ふうけい》がひろがっているだけだ。

「おまえ、どうやってきたんだ？」

「瞬間移動《しゅんかんいどう》できるんだ。ブロリーの気《き》を探《さが》してさ」

立《た》ち止《ど》まった悟空《ごくう》はうしろを振《ふ》りかえり、笑顔《えがお》で指《ゆび》を軽《かる》く額《ひたい》にあてる。

チライは眉《まゆ》をひそめて悟空《ごくう》を見《み》あげた。

「あんたの言《い》ってること、やっぱ全然《ぜんぜん》わかんないね」

「またきていいか？」

チライはぎろりと目《め》をつりあげる。

「言《い》っとくけど、あたしたちはあんたの敵《てき》だからね。フリーザ軍《ぐん》はクビかもしれないけど、あんたの仲間《なかま》になんてならないよ」

「そんなことはどっちでもいいさ」

悟空《ごくう》は肩《かた》をすくめて、それからブロリーに好戦的《こうせんてき》な笑顔《えがお》をむけた。

「オラは、たまにブロリーと闘《たたか》わせてほしいだけだ」

強《つよ》いヤツと闘《たたか》えるのはワクワクする。それはおそらくサイヤ人《じん》の本能《ほんのう》だ。

ブロリーは強《つよ》い。力《ちから》の使《つか》い方《かた》を覚《おぼ》えれば、もっともっと強《つよ》くなれる。

「オラのほうから教《おし》えてやりてえことなんかもあるしな」

今度《こんど》の闘《たたか》いは、きっかけはあんなことだったけれど、ブロリーもおそらく本能《ほんのう》では悟空《ごくう》との闘《たたか》いを楽《たの》しんでいた。

その証拠《しょうこ》に、また闘《たたか》える可能性《かのうせい》をひめた悟空《ごくう》の言葉《ことば》で、ブロリーも笑《わら》っているようだ。

そんな二人《ふたり》を見《み》あげたチライは、あきれたように息《いき》をついた。

「あんたそうとうイカれてるようだね」

「え？　なんでだ？」

あれだけやりあってまだ足《た》りないなんて、ふつうの感覚《かんかく》ではわからない。

だけど、当面《とうめん》の食料《しょくりょう》を助《たす》けてくれたことは素直《すなお》に感謝《かんしゃ》してもいい。

「まあ、とりあえず礼《れい》は言《い》うよ」

チライは右手《みぎて》の親指《おやゆび》と人差《ひとさ》し指《ゆび》をつけて、オーケーサインを作《つく》って見《み》せた。

「サンキュー」

「おう！　じゃあな。またくる」

「もうここにはいないかもしれんぞ」

レモがむすっとしながら茶々《ちゃちゃ》を入《い》れる。

悟空《ごくう》は額《ひたい》に指《ゆび》をあてたまま、「だいじょうぶ」とレモに言《い》った。

「そんなに遠《とお》くなきゃ探《さが》せる」

そのままふたたび背《せ》をむけた悟空《ごくう》に、チライが声《こえ》をかける。

「あんた、名前《なまえ》は？」

「孫悟空《そんごくう》。……それと」

悟空《ごくう》は肩《かた》ごしに三人《にん》を振《ふ》りかえり、

「カカロット」

地球《ちきゅう》に住《す》むサイヤ人《じん》としての名前《なまえ》を告《つ》げ、瞬間移動《しゅんかんいどう》で仲間《なかま》のもとへともどったのだった。

終《お》わり

この本は、映画『ドラゴンボール超 ブロリー』(二〇一八年十二月公開)をもとにノベライズしたものです。

集英社みらい文庫

ドラゴンボール超《スーパー》 ブロリー

映画《えいが》ノベライズ　みらい文庫版《ぶんこばん》

鳥山《とりやま》 明《あきら》　原作・脚本・キャラクターデザイン

小川《おがわ》 彗《すい》　著

ファンレターのあて先
〒101-8050　東京都千代田区一ツ橋 2-5-10　集英社みらい文庫編集部
いただいたお便りは編集部から先生におわたしいたします。

2018 年 12 月 19 日　第 1 刷発行
2019 年 5 月 20 日　第 6 刷発行

発行者	北畠輝幸
発行所	株式会社 集英社 〒101-8050　東京都千代田区一ツ橋 2-5-10 電話　編集部 03-3230-6246 読者係 03-3230-6080 販売部 03-3230-6393(書店専用) http://miraibunko.jp
装丁	嵩あかり(バナナグローブスタジオ)　中島由佳理
印刷	凸版印刷株式会社
製本	凸版印刷株式会社

★この作品はフィクションです。実在の人物・団体・事件などにはいっさい関係ありません。

ISBN978-4-08-321475-2　C8293　N.D.C.913　218P　18cm

NEW《ニュー》フェイス
烏丸《からすま》智《さとる》!
"ミスター外道《げどう》"参戦《さん せん》で
お宝《たから》バトル大《だい》パニック!!
お宝《たから》バトル中《ちゅう》の危険行為《きけんこうい》により、無期限《むきげん》の
お宝《たから》バトル参加禁止処分《さんかきんししょぶん》を受《う》けていた
超危険人物《ちょうきけんじんぶつ》・烏丸《からすま》智《さとる》が帰《かえ》ってきた!!
"ミスター外道《げどう》"のあだ名《な》を持《も》つサトルの
復帰《ふっき》とともに、お宝《たから》バトルの
開始《かいし》の合図《あいず》が再《ふたた》び響《ひび》きわたる――。
集英社みらい文庫
お宝《たから》バトルシリーズ第《だい》2弾《だん》!! 2019年《ねん》
5月《がつ》24日《か》(金《きん》)発売《はつばい》!

僕《ぼく》らのハチャメチャ課外授業《かがいじゅぎょう》
一《いっ》発《ぱつ》逆《ぎゃく》転《てん》
お宝《たから》バトル
帰《かえ》ってきた超《ちょう》危《き》険《けん》人《じん》物《ぶつ》！
志田《しだ》もちたろう・作《さく》
NOEYEBROW《ノーアイブロウ》・絵《え》
この少年《しょうねん》⇧
危険《きけん》すぎるため
要注意《ようちゅうい》!!
大好評発売中《だいこうひょうはつばいちゅう》!!
第《だい》1弾《だん》
僕《ぼく》らのハチャメチャ課外授業《かがいじゅぎょう》
一発逆転《いっぱつぎゃくてん》お宝《たから》バトル
シリーズ第《だい》2弾《だん》
最新作《さいしんさく》はこちら!!

集英社みらい文庫
どきどき、ワクワクの
昼《ひる》は小学生《しょうがくせい》、
パッとしない
ふつうの小学生《しょうがくせい》、
三毛《みけ》ハルト。
ある日《ひ》、不思議《ふしぎ》な
ネコのマスクを
手《て》に入《い》れる。
!
ネコの…
マスク…？
さえない小学生《しょうがくせい》の
真夜中《まよなか》のヒミツの冒険《ぼうけん》！
怪盗《かいとう》ネコマスク
◆真夜中《まよなか》の小《ちい》さなヒーロー◆
近江屋一朗《おうみやいちろう》・作《さく》　ナカユウ・絵《え》
絶賛発売中《ぜっさんはつばいちゅう》！

「みらい文庫《ぶんこ》」読者《どくしゃ》のみなさんへ

言葉《ことば》を学《まな》ぶ、感性《かんせい》を磨《みが》く、創造力《そうぞうりょく》を育《はぐく》む……、読書《どくしょ》は「人間力《にんげんりょく》」を高《たか》めるために欠《か》かせません。

たった一枚《いちまい》のページをめくる向《む》こう側《がわ》に、未知《みち》の世界《せかい》、ドキドキのみらいが無限《むげん》に広《ひろ》がっている。

これこそが「本《ほん》」だけが持《も》っているパワーです。

学校《がっこう》の朝《あさ》の読書《どくしょ》に、休《やす》み時間《じかん》に、放課後《ほうかご》に……。いつでも、どこでも、すぐに続《つづ》きを読《よ》みたくなるような、魅力《みりょく》に溢《あふ》れる本《ほん》をたくさん揃《そろ》えていきたい。読書《どくしょ》がくれる、心《こころ》がきらきらしたり胸《むね》がきゅんとする瞬間《しゅんかん》を体験《たいけん》してほしい、楽《たの》しんでほしい。みらいの日本《にほん》、そして世界《せかい》を担《にな》うみなさんが、やがて大人《おとな》になった時《とき》、「読書《どくしょ》の魅力《みりょく》を初《はじ》めて知《し》った本《ほん》」「自分《じぶん》のおこづかいで初《はじ》めて買《か》った一冊《いっさつ》」と思《おも》い出《だ》してくれるような作品《さくひん》を一所懸命《いっしょけんめい》、大切《たいせつ》に創《つく》っていきたい。

そんないっぱいの想《おも》いを込《こ》めながら、作家《さっか》の先生方《せんせいがた》と一緒《いっしょ》に、私《わたし》たちは素敵《すてき》な本作《ほんづく》りを続《つづ》けていきます。「みらい文庫《ぶんこ》」は、無限《むげん》の宇宙《うちゅう》に浮《う》かぶ星《ほし》のように、夢《ゆめ》をたたえ輝《かがや》きながら、次々《つぎつぎ》と新《あたら》しく生《う》まれ続《つづ》けます。

本《ほん》を持《も》つ、その手《て》の中《なか》に、ドキドキするみらい――。

本《ほん》の宇宙《うちゅう》から、自分《じぶん》だけの健《すこ》やかな空想力《くうそうりょく》を育《そだ》て、〝みらいの星《ほし》〟をたくさん見《み》つけてください。

そして、大切《たいせつ》なこと、大切《たいせつ》な人《ひと》をきちんと守《まも》る、強《つよ》くて、やさしい大人《おとな》になってくれることを心《こころ》から願《ねが》っています。

2011年《ねん》　春《はる》

集英社《しゅうえいしゃ》みらい文庫編集部《ぶんこへんしゅうぶ》